© 2001, Éditions du Chêne - Hachette-Livre

Réalisation et production :
Archipel concept
9, rue de la Collégiale - 75005 Paris

Direction d'ouvrage :
Jean-Jacques Brisebarre

Conception graphique :
Éditions du Chêne

Mise en page :
Archipel concept

Secrétariat d'édition :
Marie Berger

L'accord parfait
des vins et des mets

PHILIPPE BOURGUIGNON
avec la collaboration
d'Évelyne Malnic

PHOTOGRAPHIES
DANIEL CZAP

ÉDITIONS DU CHÊNE

Sᴏᴍᴍᴀɪʀᴇ

Préface

C e livre est un délicieux cheminement qui nous conduit vers une table émotionnelle et festive. Ce qui comble non seulement nos besoins nutritionnels mais, surtout, nous offre une source de plaisir sans cesse renouvelée et nous permet de communiquer tant avec les biens issus de la terre qu'avec ces hommes et ces femmes qui les ont tirés de l'état sauvage.

Philippe Bourguignon nous fait profiter de ses expériences au travers de ce qu'il a réellement vécu ; et ce sont des confidences émanant du désir de choisir tout d'abord le vin puis de retenir, en fonction de son registre particulier, le plat qui lui donnera les justes répliques, celles qui font qu'une bouchée entraîne une gorgée et ainsi de suite, celles que nous avons plaisir à faire évoluer sur notre palais en séquences brèves ou longues, afin que les mets et les vins soient passionnément épris l'un de l'autre et que, dans leurs élans, ils nous offrent les notes les plus subtiles et les plus profondes du plaisir.

Cet ouvrage s'inscrit dans l'esprit de la gastronomie à la française qui a la particularité d'associer les mets et les vins. À partir des principales expressions historiques de nos vignobles nous pouvons connaître les principaux rôles que les vins aiment à tenir à table et si, chaque lecteur va à la rencontre de ces accords, s'il prend quelques instants pour les analyser afin d'en mieux parler, alors tout devient plus grand. Le repas, en effet, ne consiste pas seulement à avaler une nourriture et des vins, mais aussi à écouter ce délicieux et gourmand discours qui ne demande qu'à exalter en nous des souvenirs.

Merci à Philippe Bourguignon, homme charnière entre la cave et la cuisine, amoureux respectueux des vignerons et proche de ceux qui apprécient, à table, la justesse des vins et des mets.

L'accord parfait existe rarement à table, car pour réussir une belle harmonie entre mets et vins, il faudrait que tous les convives partagent le même plat. Ainsi l'idée de rechercher des harmonies à partir d'un vin séduit-elle le sommelier.

Jacques Puisais
Président d'honneur
des Unions nationales et internationales des Œnologues

5

« À LA RECHERCHE D'ACCORDS PARFAITS... »

Dans le métier de sommelier tel que je l'exerce au restaurant, l'accord parfait existe rarement. Pour réussir une belle harmonie entre mets et vins à table, il faudrait que tout le monde mange la même chose – ce qui est rare –, ou bien que l'on serve une multitude de vins – ce qui est très difficile. Alors le sommelier devient l'homme du compromis. Il se replie habilement sur une bouteille consensuelle, mais il se sent souvent très frustré. C'est pourquoi la démarche de construire l'accord autour du vin me séduit.

Jacques Puisais était novateur quand, il y a quelque vingt ans, il lançait l'idée de commander d'abord le vin et de chercher ensuite les plats qui l'accompagnent. Dans certains restaurants cette démarche est désormais possible.

Chez soi, il est plus facile de sortir une bouteille de la cave et de déterminer ensuite les plats qui lui permettront de s'exprimer au mieux. Mais il n'est rien de plus subjectif, de plus insaisissable, de plus éphémère qu'un accord « parfait ». Le mariage idéal des mets et des vins est très difficile à codifier, une combinaison qui a bien fonctionné à un moment donné, avec une recette et des amis donnés, peut ne jamais se reproduire tant la sensation d'accord échappe au rationnel. Il n'existe pas de vérité absolue en la matière, et mon rôle n'est pas de déclarer telle association bonne ou mauvaise. Si une personne aime le sauternes avec les huîtres, au nom de quoi lui dirais-je qu'elle a tort ? Le sens commun ne permet pas de tout comprendre, de tout juger.

Les règles académiques commandent de ne pas servir de vin rouge avec les œufs, le vinaigre, les asperges ou les légumes verts, de préférer le blanc avec les poissons et de réserver son meilleur vin, le plus vieux, pour la fin du repas, sur les fromages. Avec l'expérience, on s'aperçoit que la réalité n'est pas si tranchée. Certains vins rouges sont de parfaits complices du poisson, mais il faut les choisir jeunes, moins tanniques, les servir un

À chacun sa perception des saveurs, ses seuils de tolérance au sucré et au salé, à l'acide et à l'amer, donc laissons une grande part à la liberté et à l'improvisation.

Le vin de paille, qui est un dessert à lui tout seul, peut se déguster accompagné de gâteaux secs ou de bugnes, mais déboucher entre amis une bouteille de ce vin insolite reste un moment exceptionnel d'intimité et de plaisir partagé.

peu plus frais. Certains blancs accompagnent bien les fromages, et ce ne sont pas toujours ceux que l'on croit. Rien n'est jamais figé ni définitif, les habitudes changent, et les vins aussi.

Plus on pénètre dans l'univers du vin, plus on progresse, plus on se trompe. C'est pourquoi, dans cet exercice si difficile qu'est la recherche de l'alliance harmonieuse entre des mets et des vins, je ne serai pas catégorique. Si je ne distingue pas un pauillac d'un saint-émilion dans une dégustation à l'aveugle, comment pourrais-je imposer l'un plutôt que l'autre sur un gigot d'agneau ? Il est évident que les deux conviennent. De la même façon, le chasseur qui rapporte une bécasse et le pêcheur une truite sauvage sortiront leur meilleure bouteille, et l'accord peu académique qui en résultera sera néanmoins parfait à leurs yeux. Tout cela est relatif. Il faut savoir être tolérant, et je le suis de plus en plus.

Nous ne sommes pas riches de notre cave, mais des bouteilles que nous avons bues. Collectionnons donc plutôt les bouteilles vides, les étiquettes et les bouchons comme des souvenirs de voyage…

Un sommelier est quelqu'un qui aime les vins. Il sait aussi que le vin est le fruit du talent d'un vigneron et des hasards du climat, une « œuvre » à la découverte de laquelle il accompagne son client pour éviter qu'il ne passe à côté. J'aime le vin. Je l'ai aimé dès l'adolescence, comme on le boit à cet âge de la vie, pour l'ivresse qu'il procure. Puis j'ai eu envie d'aller plus loin, de comprendre ce qui se cachait derrière. Et j'ai trouvé du vin, certes, mais surtout des hommes. Ils m'ont fasciné par leur sagesse, leur philosophie, leur sérénité vis-à-vis de la nature. Ils sont souvent si fiers de leurs vignes ! Et contrairement aux paysans, ils ne se plaignent jamais de leurs infortunes. Je ne saurais trop encourager à aller acheter son vin directement chez les propriétaires. C'est là que vous pourrez le mieux appréhender le vin, les notions de crus, le travail du vigneron. Et le vin n'en sera que meilleur tant il est porteur d'affectivité.

Le vin appelle cette part de magie, et le sommelier n'est rien d'autre qu'un vendeur de rêve qui amplifie la fascination initiale d'une étiquette. Il faut qu'il en soit ainsi, le vin ne peut être quelque chose d'anonyme, l'aura qui entoure une bouteille de Château d'Yquem embellit immédiatement le breuvage. Mais un vin doit toujours être bon. C'est le leitmotiv d'Henri Jayer,

« le pape de vosne ». Sur le fût, avant ou après sa mise en bouteilles, le vin n'a aucune excuse. Pourtant, le milieu regorge de justifications toutes prêtes lorsque le vin n'est pas bon… Chacun protège ses enfants chéris. Pourtant, il faut tendre à l'objectivité en dépit des amitiés, des rapports humains. Il faut se garder de tout préjugé et ne pas hésiter à dire qu'on trouve un vin mauvais lorsqu'il l'est, quelle que soit son étiquette.

Je m'interroge de plus en plus sur les dégustations professionnelles – auxquelles je participe pourtant –, où l'on recrache le vin sans le boire. On finit par juger des vins hors normes, élaborés uniquement pour impressionner et gagner. On s'aperçoit par la suite qu'ils ne se comportent pas si bien que cela à table. Ce n'est pas la finalité du vin dans notre culture occidentale et française. J'aimerais, moi, que le vin reste à table. C'est sa vocation. Il libère les audaces, il réchauffe les sens, il aide l'amoureux à déclarer sa flamme, il déride le timide… Le vin permet de s'évader, de rêver, de voyager.

En même temps, on collectionne les vins comme des

Dans l'exercice si difficile qu'est la recherche de l'alliance harmonieuse entre des mets et des vins, il ne faut pas être trop catégorique.

Puisque personne ne distingue un médoc d'un saint-émilion dans une dégustation à l'aveugle, pourquoi imposer un médoc plutôt qu'un saint-émilion sur une côte de bœuf?

tableaux. On constitue des caves dont l'objectif n'est pas d'entreposer les vins pour les boire dans leur plus belle expression, mais de spéculer. Ce n'est plus la cave de « l'honnête homme ». Il vaut mieux collectionner les bouteilles vides, les étiquettes, les bouchons… Je trouve le souvenir d'un Mouline 1983 plus émouvant et plus riche que cette même bouteille pleine circulant dans une vente aux enchères! On n'est pas riche de sa cave, mais des bouteilles qu'on a bues.

Les photos qui illustrent cet ouvrage montrent souvent les meilleures conditions pour parvenir à un accord. J'ai ainsi écarté les verres trop grands, parfois un peu baroques, qui révèlent plus les défauts du vin que ses qualités, et les verres taillés, qui ne permettent pas de juger de la jambe, de la densité et de la texture d'un vin. Au mépris des arts de la table, j'ai choisi de mettre l'accent sur le vin, sur sa couleur, et j'ai choisi à cette fin des nappes blanches et claires plutôt que de jolies nappes imprimées et colorées. Enfin, je suis resté sobre dans les descriptions – même si je pense que l'on peut tout se permettre dès lors que l'on est sincère… –, essayant d'éviter d'être trop bref et pauvre, comme d'être trop imagé et pédant. Celui qui veut décrire et transmettre les sensations éprouvées en dégustant un vin… alors que la bouteille n'est plus là, doit écarter le vocabulaire poétique pour rester crédible.

J'ai choisi ici des crus prestigieux et des vins plus modestes. J'en ai fait des chefs de file. Grands ou petits, ils offrent tous le même plaisir. Ce ne sont pas forcément les cuvées les plus renommées qui font les meilleurs souvenirs. Ce ne sont pas les plus belles bouteilles qui procurent les plus grandes joies.

Le meilleur accord sera toujours un accord d'ambiance, de personnes, d'humeur, de lieu. Mieux vaut un mauvais accord discuté et partagé, qu'un bon mariage non ressenti et non apprécié. Le vin, c'est d'abord le partage et la communion, avec toute la force symbolique que cela évoque dans nos civilisations.

Certains vins sont très différemment appréciés selon les cultures. Le jérès, par exemple, est un vin de consommation courante dans le sud de l'Espagne, alors qu'en Angleterre il exprime plutôt le raffinement et l'art de vivre, et qu'en France il est marginal, presque inconnu. C'est dommage, car ce vin étonnant invite au voyage et au rêve.

BANDOL ROUGE

Provence

*Le bandol aime les
saveurs relevées et fortes,
il se marie volontiers
avec les fromages affinés
de Bourgogne comme
l'époisses ou le cîteaux.*

La Provence n'est pas la patrie des seuls vins rosés, bien qu'elle en ait lancé la mode dans les années soixante : la région produit aussi des vins rouges de qualité, dont l'un des plus intéressants est le bandol, brillante expression du mourvèdre, notre plus beau cépage méditerranéen.

Ce n'est pas un vin à boire jeune, car il est astringent et austère durant ses premières années. En revanche, avec l'âge, lorsque sa belle couleur noire se teinte de nuances cuivrées, ses tannins se fondent et ses arômes d'épices, d'encre et de fruits à noyaux évoluent vers des notes de cuir, de thym et de pruneau qui le magnifient. Son moelleux et sa densité en font même le parent ensoleillé du châteauneuf-du-pape.

Les saveurs du bandol rouge parvenu à maturité s'épanouissent en compagnie de plats mijotés et onctueux. L'osso buco se prête particulièrement bien à cette alliance. Le lapin aux pruneaux convient bien au bandol un peu vieilli, car les pruneaux épousent ses arômes de fruits séchés. Un cabri ou un chevreau tout juste rôtis, légèrement épicés et aromatisés de laurier, s'harmoniseront avec ses tannins. Et servi avec un gibier à poil comme le sanglier, il apportera une note chaude et sudiste aux repas d'automne et d'hiver.

La forte personnalité du bandol rouge met en valeur la cuisine chinoise dont les mélanges sucrés salés chantent dans la bouche. Une pastilla au pigeon ou des tajines marocains lui conviennent également pour les mêmes raisons.

Les jeunes bandols des années les moins riches peuvent être servis frais. Ils accompagnent sans heurts les plats de poissons goûteux comme le rouget entier ou la fricassée de supions à l'encre. Je trouve également qu'il s'entend à merveille avec le stoficado, un plat niçois à base de morue que l'on déguste aussi au Portugal et dont le goût très puissant rend difficile l'alliance avec des vins blancs.

Banyuls

Roussillon

**LES VINS PROCHES
DU BANYULS :**
Maury
Rivesaltes
Rasteau
Porto (Portugal)

**POUR METTRE EN VALEUR
UN BANYULS :**
Melon
Canard Apicius
Bleu des Causses
Desserts au chocolat
Figues compotées
au romarin

*Les arômes d'un vieux
banyuls s'accordent à toute
une panoplie de desserts :
crème au caramel, crème
brûlée, crème catalane,
pruneaux au vin, desserts
à base de chocolats
pralinés ou parfumés
à l'armagnac, aux agrumes,
au gingembre, au poivre,
à la cannelle…
Mais rien n'égale les figues
rôties et épicées de Philippe
Braun, le chef du Laurent,
pour exacerber les arômes
de ce vin aux allures
orientales…*

Le banyuls est un vin et, aujourd'hui, il retrouve peu à peu sa place parmi les grands crus, grâce aux efforts de quelques viticulteurs passionnés. Je m'en réjouis sincèrement, car seule la qualité permettra de sauver ce vignoble historique, héritage des Carthaginois, dont les terrasses escarpées donnant sur la mer suscitent la convoitise des promoteurs immobiliers.

Les banyuls se comportent différemment à table selon qu'ils sont rapidement mis en bouteilles et vieillis dans celles-ci – on les nomme alors « rimages » –, ou qu'ils vieillissent en cuves ou en bonbonnes de verre. Les jeunes rimages offrent des arômes de fruits à noyaux, de myrtilles et de mûres. Ils sont naturellement sucrés, moelleux, voire suaves, et toujours très longs en bouche. C'est pourquoi ils se marient à merveille avec la saveur prononcée du melon frais, consommé en hors-d'œuvre et légèrement poivré. Le banyuls est même, à mon sens, un meilleur complice du melon que le traditionnel porto. Mais de grâce, ne versons pas le vin dans le cœur du melon, sa place est dans un verre !

Le rimage est aussi un vin d'accompagnement de fromages : il fera honneur aux pâtes persillées, aux bleus des Causses et d'Auvergne, à la fourme d'Ambert, au roquefort et au stilton. La puissance du vin et la force des fromages se rencontrent pour s'unir dans un bel ensemble harmonieux en bouche.

Le rimage à la magnifique robe noire est un savoureux vin de dessert. Il est particulièrement à son aise sur les entremets à base de fruits, surtout de fruits rouges. Et il peut se targuer de faire partie des rares vins rouges qui s'unissent sans dommage au chocolat noir et amer. Il forme une délicieuse et gourmande association avec tous les desserts au chocolat, sous forme de tartes, de soufflés, de ganaches, de fondants ou encore de mousses…

En vieillissant dans des bouteilles couchées, le rimage

développe un bouquet très équilibré aux notes torréfiées de café, de chocolat et de cuir. Il est alors fin prêt pour accompagner avec audace le civet de lièvre, le faisan aux fèves de cacao amer ou encore le civet de langouste cuisiné au vin.

Les banyuls qui vieillissent en cuves ou en bonbonnes parviennent plus rapidement à maturité en raison de l'oxydation qui se produit dans ces conditions. Ils prennent alors un caractère « rancio » – qui n'est pas un goût d'évent –, avec un bouquet éthéré, épicé, oriental et moins charnu, une saveur alcoolisée plus marquée et une exceptionnelle longueur en bouche. Ce « vin doux naturel » fera merveille avec un canard épicé comme le canard Apicius. Le mérite de la découverte de cette alliance hors pair revient au sommelier Didier Bureau – rares sont les sommeliers qui attachent ainsi leur nom à un accord ! –, qui a su convaincre Alain Senderens de la légitimité de cette association extraordinaire : la rencontre du canard laqué au miel, épicé de cannelle et de clous de girofle et accompagné d'une purée de dattes, avec le vieux banyuls au goût oriental, est proprement stupéfiante. C'est un accord chaud, une alliance qui emporte vers d'autres horizons, une audace qui ouvre de nouvelles voies…

Le vieux banyuls peut prétendre à toute une panoplie de desserts : crèmes au caramel, brûlée ou catalane, pruneaux au vin, desserts à base de chocolats pralinés ou parfumés à l'armagnac, aux agrumes, au gingembre, au poivre, à la cannelle…

Le « doux paillé », vieilli à l'extérieur en bonbonnes de verre exposées au soleil, a une belle couleur jaune doré qui fait oublier qu'il a été rouge dans sa jeunesse. Il crée de belles harmonies avec le moka au café ou le tiramisu italien, et il complète avec élégance la légèreté d'un millefeuille à la vanille.

Mais les meilleures compagnes du vieux banyuls « rancio » sont des figues rôties et compotées, épicées de poivre, de cannelle et de romarin et arrosées d'un léger sirop à base de vin. La puissance du vin épouse parfaitement leurs notes épicées si difficiles à marier : c'est Byzance !

Barsac et sauternes

Bordelais

Le sauternes associe de façon très équilibrée le sucre et l'acidité, la corpulence et la maigreur. L'image est insolite, mais elle reflète bien pour moi la personnalité de ce grand vin blanc liquoreux du Bordelais. On aime ou on n'aime pas le sucré, mais le sauternes ne laisse personne indifférent.

On avait presque oublié ce vin de nos grands-mères qui accompagnait régulièrement les banquets, les repas de communion et de mariage. Aujourd'hui, il est à son meilleur niveau en raison des efforts constants des vignerons du Sauternais. Ce vin explosif, démonstratif, parle de lui-même et fait parler les gens. Mais il est rare car il requiert des conditions climatiques qui ne sont pas tous les ans au rendez-vous. Ce grand vin à nul autre pareil ne peut voir le jour que si l'arrière-saison lui est favorable, lorsque l'alternance de chaleur et d'humidité avec beaucoup de brouillard provoque l'apparition de la fameuse « pourriture noble » qui concentre les sucs et transcende le raisin. Ces années-là, le bouquet du vin, déjà puissant et complexe, devient évanescent, aérien, éthéré et porteur d'arômes supérieurs qui vont jusqu'à évoquer le vinaigre sans que cela puisse être considéré comme un défaut.

On a trop souvent tendance à limiter les associations du sauternes au foie gras, figure imposée des jours de fête et produit vedette de la cuisine française, comme s'il était le faire-valoir de tous les vins que l'on ne sait pas marier ! Un sauternes sur un foie gras est certes une alliance possible, mais je n'en suis pas un grand partisan. Malgré tout, si l'on s'en tient à ce schéma classique et régional, on choisira un sauternes jeune aux arômes de bois, de miel et de raisins confits, plutôt qu'un sauternes vieilli aux arômes d'agrumes.

Ce vin liquoreux a bien d'autres cordes à son arc et autorise de nombreuses fantaisies à table. Je trouve le sauternes spectaculaire à l'apéritif. En entrée, il accompagne très bien le

LES VINS PROCHES DES SAUTERNES ET DES BARSACS :
Sainte-croix-du-mont
Loupiac
Cérons
Monbazillac

On a l'habitude de fondre les deux appellations sauternes et barsac, mais si les barsacs peuvent être qualifiés de sauternes, la réciproque n'est pas vraie car Barsac est une sous-région du Sauternais.

POUR METTRE EN VALEUR UN SAUTERNES :
Salade de blancs de poulet arrosée de jus de viande
Ris de veau à la crème
Canard à l'orange
Turbot au sauternes
Roquefort de Barragnaudes
Pithiviers

ris de veau crémé et il réussit un bel équilibre avec les plats en gelées. Il est également parfait sur une salade de blancs de poulet arrosée d'un jus de viande et d'une vinaigrette. Grâce à son nez aromatique et puissant, le sauternes est un des vins qui supportent le mieux la présence du vinaigre.

On peut pousser l'audace encore plus loin et le servir avec des poissons nobles comme le turbot ou la sole, accompagnés d'une sauce onctueuse qui fera écho au moelleux du vin. Un vieux sauternes est aussi un excellent partenaire des volailles à la crème ou, mieux encore, du canard à l'orange, avec lequel son parfum d'agrumes est parfaitement en phase.

Le sauternes se marie bien avec les fromages aux arômes et au goût très puissants comme les langres. Mais surtout, il s'accorde magnifiquement aux fromages à pâte persillée. Un bleu d'Auvergne, un bleu des Causses ou, comble du raffinement, un roquefort très gras de Barragnaudes – un label qualité de la marque Société – se mêlent au sauternes en une harmonie exceptionnelle de texture, de puissance, voire de violence, et en même temps de grande douceur.

S'il est une habitude qui a la vie dure, c'est de boire le sauternes avec les desserts. L'accord n'est pourtant pas si évident, car le sucre des entremets a tendance à amoindrir et à neutraliser le caractère liquoreux du vin. Il sera donc préférable d'éviter les gâteaux et les pâtisseries au chocolat, ainsi que les fruits rouges, trop acides. En revanche, tous les desserts à base d'amandes – comme le pithiviers, les crêpes fourrées ou le blanc-manger – mettent en valeur les arômes miellés du vin grâce à leur saveur moelleuse et riche et à leur goût si particulier. Les sabayons au sauternes, les glaces à la pistache, les desserts régionaux comme le pastis landais parfumé à la fleur d'oranger, ou encore les cannelés bordelais, s'entendent également à merveille avec ce nectar. Et il existe un dessert sicilien – des oranges sanguines coupées en tranches et arrosées d'un trait de vinaigre balsamique et d'un filet d'huile d'olive – qui révèle en compagnie d'un sauternes des saveurs aigres-douces délicieuses et étonnantes.

À table, le sauternes autorise de nombreuses fantaisies. Je l'apprécie à l'apéritif, mais il accompagne merveilleusement les fromages comme le langres, le bleu d'Auvergne ou, comble du raffinement, le roquefort.

CHABLIS

Bourgogne

LES VINS PROCHES
DU CHABLIS :
Mâcon blanc
Pour les grands crus,
dans certains cas :
Puligny-montrachet
Chassagne-montrachet
Meursault

POUR METTRE EN VALEUR
UN CHABLIS :
Huîtres plates nature (belons)
Langoustines poêlées
aux champignons
Beaufort d'été

Je préfère le chablis le midi plutôt que le soir, de façon primaire, sans pouvoir vraiment l'expliquer, sans doute parce que son acidité est mieux perçue et tolérée le matin, plus difficile et agressive le soir. C'est peut-être aussi une question de couleur, le chablis ayant une teinte or-vert qui se patine lentement avec le temps pour composer une belle couleur ambrée, or-or ou or-jaune soutenu dans les années les plus chaudes.

Les chablis ont tous un caractère commun, une sorte de dénominateur propre à l'appellation : l'acidité naturelle, qui n'est pas un défaut mais bien une qualité. Elle résulte à la fois du terroir chablisien associé au chardonnay et de la situation géographique septentrionale du vignoble. C'est cette sensation acide qui conduira les accords. On en jouera en cherchant à l'amplifier, ou au contraire à la diminuer ou la masquer.

Il est des associations traditionnelles auxquelles le chablis se prête volontiers, comme avec les gougères, ces pâtes à choux garnies de fromage. Je pense en revanche que l'alliance du chablis et des escargots de Bourgogne n'est pas très heureuse. L'ail et le persil associés restent trop puissants pour les arômes du vin, et les escargots y gagnent davantage que le chablis. Mais comme c'est une tradition culturelle régionale respectable qui existe depuis toujours, on s'y résignera – tout en sachant que c'est un accord imparfait – et on préférera alors un chablis simple. Avec l'andouillette, à la saveur parfumée si caractéristique, c'est la même chose : le plat domine trop le vin, qui s'en sort mal.

En revanche, un chablis premier cru se marie très bien avec les huîtres plates de type belon. L'acidité du vin va compenser voire remplacer le citron et titiller l'huître. On peut aussi l'essayer avec les terrines qu'on accompagne habituellement de cornichons ou de pickles et, de façon générale, avec tous les plats qui ont besoin d'un complément acide. Curieusement, le chablis relève assez bien le défi d'un sau-

Selon que l'élevage du chablis
a lieu dans des cuves inox
ou dans des fûts de bois,
on obtiendra un vin aux
notes de fleur d'acacia qui
s'exprimera très vite
– au bout de deux ans –,
ou un vin plus «séveux»,
plus gras, plus moelleux,
plus onctueux, à qui il faudra
davantage d'années pour
révéler ses notes de fougère,
de mousse et de champignon.
Ces arômes s'épanouiront
encore mieux si les vins,
surtout les grands crus,
sont mis en carafe.

mon fumé, alors que l'on pourrait penser que le goût marqué du poisson écraserait le vin.

Arrivés à maturité, les grands crus de chablis accompagnent à merveille des plats plus puissants comme les poissons en sauce à base de beurre ou de crème. Ils s'accommodent aussi de certains crustacés, en particulier les langoustines. L'accord approche de la perfection si ces langoustines sont préparées avec des champignons – mousserons, pleurotes ou trompettes de la mort –, les arômes du plat et du vin se fondant.

Je crois que l'on ne se trompe pas en servant le chablis – devenu, hélas !, un nom commun synonyme de vin blanc sec à l'étranger, notamment aux États-Unis – avec des poissons d'eau douce comme la truite. Il est même judicieux de l'associer à une sole, à un crabe ou à un turbot cuisinés assez sobrement, sans trop d'épices qui tueraient ses arômes. On peut aussi l'oser avec des volailles, ou bien le servir sur un jambon cuit à l'os avec une sauce au vin un peu vinaigrée, recette traditionnelle sur laquelle il s'exprime bien.

Les grands crus à maturité s'harmonisent avec les fromages à pâte cuite comme le comté ou le beaufort, fruités et gras, tandis que les plus jeunes permettent de bons accords avec les chèvres secs, qui ont tendance à sécher dans la bouche et appellent la soif.

CHAMPAGNE

Champagne

Au risque de paraître iconoclaste, j'ai pris l'habitude de boire le champagne à soif. C'est plus rafraîchissant qu'une bière, malheureusement plus cher aussi – mais dans ce rôle de vin de soif, tous les crémants de France peuvent le remplacer ! C'est un luxe certes, mais l'été, après avoir tondu la pelouse du jardin ou après une longue randonnée en montagne, un verre de champagne devient un moment extraordinaire. Dans ce cas, je l'avoue, je pousse le vice jusqu'à mettre un glaçon dedans. Je reconnais que c'est impie, les Champenois me condamneront, mais c'est tellement désaltérant ! J'ai adopté cette habitude pendant un été torride à Paris. J'étais entré par hasard chez un vieux caviste de la rue des Abbesses à Paris. Assis autour d'une table, de vieux messieurs étaient là, en train de siroter un champagne avec un glaçon dedans. Depuis, lorsque j'ai très soif, je les imite, en pensant encore à eux.

Le champagne est un merveilleux vin d'apéritif. Il est même l'apéritif unique idéal qui préfigure à mon avis ce que seront les apéritifs de demain, des vins, au détriment de l'anis ou du whisky. L'apéritif, alors que le palais est vierge de tout goût, est certainement le meilleur moment pour apprécier le champagne. On lui évitera les mélanges trop épicés comme les assortiments japonais et on accompagnera ses bulles fines de pistaches, d'amandes ou de noisettes. Son pétillement mettra aussi en valeur tous les petits feuilletés au fromage, les gougères, les petits boudins blancs – en écartant les boudins créoles –, les saucisses sèches ou encore un bon saucisson. J'aime beaucoup l'idée de Michel Piot de le déguster avec des rondelles d'andouillette moutardées sur un toast grillé et passées à la salamandre. L'accord est à la fois rustique et fin.

Même s'il séduit en apéritif, on peut demander autre chose au champagne, comme d'être un véritable compagnon de table. Car il ne faut pas oublier que le champagne est un vin !

À ce titre, il est irremplaçable – lorsque le besoin d'un vin de soif se fait sentir – pour arroser une chère généreuse et plantureuse, un repas de pique-nique avec un jambon cru ou un poulet froid, ou un repas à plat unique comme la potée, la choucroute, l'andouillette, le pot-au-feu ou le confit de canard… Je ne saurais expliquer pourquoi – il s'agit plus d'une impression physique qu'autre chose –, mais je trouve sa compagnie intéressante avec des plats rustiques, peut-être parce qu'il les pare d'un air de fête inattendu.

Les champagnes blancs de blancs de grands crus issus des terroirs les plus nobles, aux expressions plus riches et plus complexes, permettent d'aller encore plus loin et de s'aventurer vers des combinaisons qui paraissent a priori curieuses, voire franchement déconcertantes.

Avec son bouquet comparable à celui des grands vins blancs, mêlant des notes de pain grillé ou brioché et des arômes de noisettes, de champignons et de caramel, un vieux champagne ou encore un champagne « vineux » est à la fête avec des huîtres plates – les fameuses belons –, de grosses langoustines croustillantes au pistou, un bar simplement rôti, des viandes crémées – y compris les gibiers –, et toutes les sauces relevées de safran ou accompagnées de truffes ou de champignons. Ces champagnes réussissent un bel équilibre avec toutes les variétés de champignons, mais plus particulièrement les morilles de printemps, au goût si fin et si précis, et les tricholomes équestres, ces champignons jaune safran qui ressemblent aux girolles avec un côté un peu anisé en plus. Je garde enfin en mémoire le souvenir heureux et magique d'un Chouilly 1959 au goût de champignon, un peu rassis, sur un jambon espagnol, le jabugo : les deux « rances » se complétaient bien en s'aidant mutuellement à s'exprimer.

On entend souvent dire que le champagne se marie bien avec le foie gras en terrine. Je pense que cette alliance classique, facile, entre les deux ingrédients vedettes des repas de fête de la cuisine française, n'est pas harmonieuse. Je dirais même qu'elle heurte, que les textures s'opposent, car le foie gras a besoin d'être enveloppé. En revanche, l'accord entre le

J'aime la compagnie d'un champagne jeune avec des plats rustiques comme l'andouillette, peut-être parce qu'il leur donne un air de fête inattendu. Mais le champagne, c'est plus rafraîchissant qu'une bière ! et après avoir tondu la pelouse ou après une randonnée en montagne, je pousse le vice jusqu'à mettre un glaçon dedans… C'est impie, mais c'est tellement désaltérant !

Un vieux champagne, aux notes de pain grillé et aux arômes de noisette, de champignon et de caramel, est superbe avec des champignons – et plus encore avec des morilles printanières –, mais à ce jour, je n'ai rien trouvé de mieux pour accompagner un camembert ou un coulommiers.

foie gras chaud et le champagne peut être une réussite, car la bulle rebondit et donne du nerf au foie.

De façon plutôt inattendue, le champagne fonctionne très bien avec le fromage, j'aurais même envie de dire avec presque tous les fromages – pas seulement le comté ou le reblochon, mais aussi les fromages puissants comme l'époisses ou le maroilles, et les pâtes molles à croûte fleurie telles que le coulommiers, le brie ou le camembert au lait cru, qui ont plutôt tendance à déshabiller les vins rouges. Contrairement aux idées reçues, au vieux cliché du Français avec son camembert et son litron, je trouve que les vins rouges sont impossibles avec le camembert. Les réactions sont trop métalliques, on a l'impression de manger une boîte de conserve !… À ce jour, je n'ai encore rien trouvé de mieux que le champagne pour accompagner un camembert ou un coulommiers. Alors pourquoi ne pas essayer ? L'accord n'est pas faux, il sonne presque juste…

Il est de tradition de réserver le champagne pour le dessert. Les Champenois ont tout fait pour encourager et entretenir cette image symbolique de fin de repas heureuse ou événementielle. Mais il s'agissait alors de vins demi-secs, aujourd'hui désuets et rarement servis.

En raison de son acidité, le champagne brut est difficile sur un dessert. Combien de champagnes n'abîme-t-on pas sur un gâteau d'anniversaire crémé et sucré ? Si l'on veut à tout prix terminer un repas de fête par un gâteau, dans l'élégance et le raffinement, le choix est simple : soit préférer des desserts peu sucrés à base de fruits rouges comme le gratin de cerises ou de fraises, ou de croquant comme le soufflé aux amandes caramélisées, soit troquer la bouteille de brut pour une bouteille de demi-sec.

Château-Chalon

Jura

Les vins proches
du château-chalon :
Vins jaunes du Jura
portant les appellations :
Arbois
Étoile
Côtes-du-Jura

Vin de voile de Gaillac
Jérès de type fino (Espagne)
Manzanilla de San Lùcar
(Espagne)

Pour mettre en valeur
un château-chalon :
Fricassée de morilles
Volaille de Bresse au vin
jaune et à la crème
Vieux comté

Le château-chalon peut
se découvrir avec un très
vieux comté ou un vieux
beaufort accompagné d'un
morceau de lard, de noix
fraîches et de pain.
Ce vin est le seul qui
permette de réaliser des
sauces extraordinaires,
en les imprégnant de son
goût si particulier qu'il
ne faut pas prendre pour
un goût madérisé.

Ce grand vin blanc, très pur, est assez déroutant, plus difficile encore que certains rieslings. Cela tient à la façon dont il est élevé, vieilli en fût pendant six ans sous un voile levurien qui le protège de l'air et lui donne ce fameux goût de vin jaune, ce nez très complexe et très riche avec des arômes de pomme, de noix, de curry et de champignons, de morille surtout. Hélas, beaucoup d'entre eux n'ont pas ces qualités. Oxydés, développant des goûts d'évent, ils entretiennent la confusion auprès des personnes qui ne connaissent pas le château-chalon.

Pour découvrir ce vin à la belle couleur brillante d'or franc, une première approche, toute simple, celle que les Jurassiens recommandent à juste titre, consiste à servir le château-chalon avec un très vieux comté ou un vieux beaufort, à la pâte un peu sablonneuse et cassante sous la dent, presque ranci, accompagné d'un morceau de lard, de quelques noix fraîches et de pain. L'accord est vraiment délectable et fonctionne à merveille.

Mais le château-chalon est aussi un vin de grande cuisine. Il permet de réaliser des accords certes classiques, mais somptueux, avec des morilles blondes, noires ou grises annonciatrices du printemps, simplement revenues dans un peu de beurre. Il en va de même avec la plupart des champignons cuisinés en sauce ou en fricassée. Ce vin jaune aime tout ce qui est onctueux et velouté ; il ne faut donc pas hésiter à lui présenter une sauce à la crème ou au beurre. Une volaille de Bresse à la crème et aux champignons procure une sensation charnelle : gras sur gras, les textures s'enrichissent mutuellement pour réaliser une harmonie sensuelle. Avec ce partenaire précieux, on peut aussi s'aventurer vers des alliances plus difficiles et audacieuses. La puissance du château-chalon renforce par exemple celle des plats à base de curry, pour constituer un accord riche et chaud.

Châteauneuf-du-Pape

Vallée du Rhône méridionale

**LES VINS PROCHES
DU CHÂTEAUNEUF-DU-PAPE :**
Certains gigondas
Rioja (Espagne)
Brunello di Montalcino (Italie)

**POUR METTRE EN VALEUR
UN CHÂTEAUNEUF-DU-PAPE :**
Truffes
Gibier à poil
Civet de lièvre
Fromages de Bourgogne

De tous nos grands vins rouges, le châteauneuf-du-pape est celui qui procure le sentiment de plénitude le plus profond. L'hiver surtout, quand il fait froid dehors, le corps a besoin de la chaleur et des calories dont la saison le prive. Avec ses 14° naturels, le châteauneuf-du-pape réchauffe l'organisme sans exagération, là où les vins affichant 12° (9° naturels plus 3° de chaptalisation) ne font que chauffer et brûler.

Ce n'est qu'au bout d'une dizaine d'années que ce vin opulent et moelleux perd ses arômes de jeunesse, de raisins très mûrs et de cerises presque compotées, mais la patience est bien récompensée. Il est alors magnifié par des plats puissants en goût comme la queue de bœuf au vin rouge, le bœuf bourguignon ou les pieds-paquets.

Vieilli, ses notes épicées, poivrées et boisées, son bouquet de truffe, de figue et de datte séchées, parfois de venaison, et son léger goût de rancio en font un bon compagnon pour la truffe. Il épouse harmonieusement le ragoût de truffes, la truffe sous la cendre, les pâtes aux truffes… formant avec ce champignon un accord incomparable de goût et de saveur.

Mais le partenaire préféré de ce vin corpulent est le gibier à poil, en particulier le lièvre cuit en civet, au goût prononcé, viscéral, parfois dérangeant. Moins acide et plus moelleux qu'un hermitage, le châteauneuf-du-pape est sûrement le meilleur vin pour honorer un lièvre à la royale, surtout si on utilise du foie gras pour la sauce, qui est alors plus riche et plus onctueuse et répond avec éloquence au séveux du vin.

La corpulence, la personnalité et la puissance d'arômes d'un châteauneuf-du-pape exaltent également la cuisine épicée et poivrée des tajines.

Un peu comme le bandol, ce vin fort et vigoureux fait bon ménage avec les fromages bourguignons affinés tels que l'époisses, le cîteaux ou l'amour-de-nuits. Ils n'ont pas d'emprise sur lui, il est assez puissant pour les enrober.

Le gibier à poil et, plus particulièrement encore, le lièvre cuit en civet, est un partenaire idéal pour ce vin opulent et moelleux.

CHINON

Vallée de la Loire ~ Touraine

**LES VINS PROCHES
DU CHINON :**
Bourgueil
Saint-nicolas-de-bourgueil
Saumur-champigny
Anjou villages

**POUR METTRE EN VALEUR
UN CHINON :**
Radis
Lapin à la moutarde
Tomme de Savoie

*Le lapin à la moutarde
est une des recettes
qui se marient le mieux
avec un jeune chinon.
Ce vin s'harmonise
également avec le poulet
au vinaigre, les rognons
poêlés ou le foie de veau.*

Considéré comme léger – davantage par son prix que par son potentiel –, le chinon est trop souvent servi glacé plutôt que frais, ce qui ne le met pas en valeur. Pourtant, ce vin franc et gourmand mérite mieux que la glace, car c'est un vrai compagnon de table.

Je l'aime sur les premiers radis de printemps, croquants, un soupçon piquants, pour que le beurre, la fleur de sel et le poivre du moulin se justifient en sa compagnie. Jeune, avec son bouquet de poivron et de framboise laissant parfois s'échapper des notes herbacées, il affectionne la gelée et se plaît avec toutes les entrées qui l'utilisent, comme le bœuf ou le lapereau, la terrine de poulet, la hure de sanglier, le fromage de tête… Il apprécie également les pieds de porc, la queue de bœuf et le gîte, dont il relève les textures gélatineuses grâce à sa vivacité.

Servi frais, entre 10 et 12°, j'apprécie le chinon sur un plat portugais : des poivrons rouges cuits au charbon de bois, marinés avec de l'ail et de l'huile d'olive et accompagnés de tranches de pain grillé frotté à l'ail. Une sorte d'unité de goût apparaît, le poivron rappelant l'arôme dominant du vin. En revanche, je trouve moins intéressante la tradition des pays de Loire qui associe le chinon aux rillons, car ce plat est trop gras pour ce vin rouge.

Ce vin de printemps à la belle couleur pourpre, presque violine, possède la rare qualité de ne pas craindre la moutarde et le vinaigre. Au contraire même, il soutient de son caractère vif et acide ces deux condiments souvent difficiles à marier. Le chinon accompagne ainsi à ravir le poulet au vinaigre ou au verjus, le lapin à la moutarde ou le lapin chasseur, les rognons poêlés ou le foie de veau légèrement déglacé au vinaigre. Jeune, il convient également aux poissons puissants comme les rougets entiers, et à ceux cuisinés au vin rouge comme la matelote d'anguilles.

Avec l'âge, le chinon évolue vers des goûts giboyeux. Il peut alors être associé à des plats compotés, au ragoût de mouton, au navarin d'agneau, à l'étouffade de bœuf, à la compote de queue ou de joue de bœuf... voire à des gibiers à poil comme le sanglier, dont la chair sèche a besoin d'être arrondie. Un chinon de bonne année un peu vieilli sur une gigue de sanglier, sauce grand veneur réalise une bonne harmonie de puissance.

Vin de la Loire, le chinon n'est pourtant pas le compagnon idéal des fromages régionaux, les chèvres secs ou frais. Je le vois plutôt servi, comme un vin de Bordeaux, sur des tommes de Savoie, des fromages de Hollande un peu vieillis et même un saint-nectaire : l'accord sonne plus juste.

Les premiers radis du printemps, croquants et un peu piquants, avec du beurre, un soupçon de fleur de sel et du poivre du moulin, se marient à merveille avec le bouquet de poivron et de framboise d'un jeune chinon.

Peut-être en raison de son léger goût de framboise, il finalise sans problème les desserts aux fruits rouges, en particulier le clafoutis de cerises aigres, le gratin de cerises noires ou, mieux encore, des fraises des bois arrosées... de chinon, bien sûr !

Attachant, équilibré, le chinon a de nombreuses possibilités d'accords. C'est pourquoi il correspond pour beaucoup à l'idée de vin unique pour tout un repas.

CONDRIEU

Vallée du Rhône septentrionale

Un condrieu ne s'oublie pas, il est même plus facilement identifiable que tous les autres vins blancs. Son goût très particulier, qui n'appartient qu'à lui, oscille entre le floral de l'iris et le fruité de fruits très mûrs comme l'abricot et la pêche. Sa forme est assez ronde et corpulente, parfois un peu molle. C'est souvent dans son expression jeune, au moment où il est prêt à être mis en bouteilles, c'est-à-dire juste après les grands froids de l'hiver, que ce vin est le meilleur. Après deux ou trois années, il a tendance à jaunir – ce qui en soi n'est pas grave –, mais surtout il risque de prendre un goût de madère, ce qui serait dommage.

Très expressif, ample et subtil, le condrieu convient bien aux plats simples, les asperges par exemple. Les premières asperges vertes de printemps, arrosées d'un filet d'huile d'olive toscane légèrement herbacée, avec un condrieu qui vient juste d'être mis en bouteille… c'est tout simplement un régal.

Grâce à son nez suffisamment aromatique et à sa personnalité assez forte, le condrieu sec, celui qui permet les harmonies les plus belles et les plus équilibrées à table, est amusant avec les herbes et les épices de toutes sortes – coriandre, gingembre, curry –, qu'il domine de sa rondeur enjôleuse. Il se déguste plaisamment avec les cuisines japonaise, chinoise et thaï, en accompagnement de crevettes sautées à la sauce piquante, de poisson à la vapeur en feuille de lotus, ou encore de sushis…

Bien qu'il puisse être servi avec une viande, ce grand blanc des côtes du Rhône reste avant tout un vin de poissons et de crustacés. Il est joliment mis en valeur par une salade de langoustines ou des écrevisses à la nage, comme d'ailleurs le château-grillet bien vinifié. Ce cru voisin du condrieu – la plus petite A.O.C. des vins blancs de France – est issu du même cépage, le viognier.

LES VINS PROCHES
DU CONDRIEU :
Château-grillet
Vins blancs
des côtes du Rhône et
du Languedoc-Roussillon
issus du cépage viognier

POUR METTRE EN VALEUR
UN CONDRIEU :
Asperges vertes
Gratin de queues
d'écrevisses
Chèvres secs
Galette aux amandes
(avec les vendanges tardives)

Comme son rare voisin,
le château-grillet,
le condrieu est un vin
issu du cépage viognier.
Son nez aromatique
et sa forte personnalité
lui permettent de belles
harmonies avec les herbes
et les épices de toutes sortes
qu'il domine de sa rondeur
enjôleuse.

Le condrieu préfère les fromages un peu secs. Il les imbibe, rendant ainsi plus harmonieux un picodon de la Drôme ou une rigotte de Condrieu.

Ce vin sec et généreux de la vallée du Rhône accepte les desserts à condition qu'ils soient peu sucrés. Et les meilleurs accords se produisent à mon avis avec un condrieu issu de vendanges tardives, comme ceux que certains viticulteurs se plaisent à développer. Ayant troqué son bouquet de pêche et d'abricot pour un goût de raisins surmûris, ce blanc devenu doux et capiteux se marie bien avec une galette aux amandes, dont le goût un peu amer met en valeur ses arômes confits pour terminer le repas sur une note raffinée.

Et lorsque par un bel après-midi de printemps, des amis amateurs débarquent à l'improviste, je n'hésite pas à déboucher une bouteille de ce cru magiquement métamorphosé par les vendanges tardives : le condrieu devient alors un superbe vin de « cinq à sept » !

CÔTE-RÔTIE

Vallée du Rhône septentrionale

Mouline, Turque, Landonne… Plus d'un amateur se ferait damner pour une de ces bouteilles mythiques de côte-rôtie ! Rendons grâce aux efforts de certains viticulteurs qui, comme Marcel Guigal, ont permis de maintenir et de développer cette appellation prestigieuse, dont les étroites terrasses témoignent encore de la présence des Grecs puis des Romains dans la vallée du Rhône. Hélas, les quantités sont limitées et la spéculation n'est pas loin.

Mariant la fleur et le feu, la pivoine et le poivre, le côte-rôtie jeune est un vin trop démonstratif, trop exubérant pour bien se tenir à table : peu de plats parviennent à le mettre en valeur. C'est pourtant ainsi que je le préfère, pour lui-même, mais il s'agit vraisemblablement d'une déformation professionnelle ! Lorsqu'au bout de quatre à cinq ans, son remarquable bouquet floral aura évolué vers des arômes tertiaires évoquant plus le gibier que le fruit, et que sa belle couleur presque noire, aux jambes teintées de bleu, se sera tuilée, ce grand vin rouge des côtes du Rhône arrivé à maturité deviendra le compagnon privilégié des mets d'hiver, notamment les plats en sauce qui allient le sang et le foie gras.

Pour moi, le côte-rôtie est avant tout un vin des grands jours très froids. J'aime le servir, bien décanté – car il laisse des dépôts importants –, sur un canard rouennais étouffé dont on aura recueilli le sang et les sucs à la presse comme à « La Tour d'Argent », ou tout simplement sur un canard au sang. La puissance sanguine du plat est tempérée par le foie gras et merveilleusement soulignée par le séveux et le soyeux du vin. À mon sens, peu de vins peuvent mieux faire en pareille compagnie.

Le côte-rôtie est également le vin du gibier à poil, en particulier du plus noble, le chevreuil, à la chair si précise mais si douce, cuit saignant, servi avec une sauce grand veneur bien poivrée, pimentée à souhait, et accompagné de garnitures

LES VINS PROCHES
DU CÔTE-RÔTIE :
Hermitage rouge
(dans certains cas)
Et dans une moindre mesure :
Cornas
Saint-joseph rouge
Crozes-hermitage rouge

POUR METTRE EN VALEUR
UN CÔTE-RÔTIE :
Canard au sang
Chevreuil sauce grand veneur
Civet de marcassin
Rognons

épicées et sauvages. Ce vin bien équilibré, de bonne consti-
tution, plus septentrional que méridional, peut aussi se permettre de tenir tête à un faisan même légèrement faisandé,
voire à un civet de marcassin, dont il soutiendra le goût puissant. En même temps, loin d'être dévalorisé, le côte-rôtie
reste succulent sur un simple gigot…

Je garde le souvenir heureux d'un rognon entier cuit dans
sa coque de graisse, comme savait si bien le préparer le
regretté Alain Chapel, dont la pureté et la franchise des goûts
avaient été merveilleusement rehaussés par le soyeux d'une
Mouline 1976.

Malgré son goût puissant, je n'ai pas encore à ce jour
trouvé de fromage susceptible de mettre en valeur un côte-
rôtie. À vrai dire, cela m'importe peu car il mérite mieux
qu'un fromage.

Vendangé depuis l'époque romaine sur d'étroites terrasses de la vallée du Rhône, le côte-rôtie n'exprime son remarquable bouquet floral qu'au bout de quatre à cinq ans. Ce grand vin deviendra alors le compagnon privilégié des mets d'hiver.

Le goût puissant d'un côte-rôtie – qu'il faut servir bien décanté – fait merveille sur le canard rouennais étouffé dont on aura recueilli le sang et les sucs à la presse.

COTEAUX-DU-LAYON

Vallée de la Loire ~ Anjou

LES VINS PROCHES
DU COTEAUX-DU-LAYON :
Bonnezeaux
Quarts-de-chaume
Coteaux-de-l'Aubance
Coteaux-de-Saumur
Vouvray moelleux
Montlouis moelleux

POUR METTRE EN VALEUR
UN COTEAUX-DU-LAYON :
Terrine de foie gras
Sandre au beurre blanc
Tajines
Salade de mangues
Tarte Tatin

Le coteaux-du-layon a longtemps été considéré comme le parent pauvre du sauternes, la prestigieuse appellation des vins blancs liquoreux du Bordelais. Pourtant ce grand vin moelleux de la Loire possède sa propre expression, sa propre identité. Aujourd'hui, il est redécouvert et ce n'est que justice car ce vin réalise en effet un équilibre rare entre acidité et sucre.

Dans sa jeunesse, le coteaux-du-layon présente des arômes de fleurs – de chèvrefeuille, d'acacia, de tilleul, de seringat – et de fruits – de mangue et de fruits de la passion. Selon les vignerons et les terroirs, il a un degré d'alcool plus ou moins élevé, ce qui se traduit par une sensation plus ou moins sucrée. En vieillissant – il peut dépasser le siècle sans madériser ! –, le sucre s'estompe, le vin perd son côté minéral pour prendre des arômes d'agrumes et de coings très mûrs, des notes plus épicées.

Mais jeune comme vieilli, ce grand vin est tout à fait étonnant à table. Sa forte puissance permet des accords sensibles, insolites, à la limite de « l'art et l'essai », où le vin jouera un rôle plus « esthétique » qu'un traditionnel vin blanc sec.

Liquoreux et frais, le coteaux-du-layon se marie parfaitement avec le ris de veau, les viandes blanches et les volailles crémées, ou encore les poissons comme le sandre et le saumon accompagnés de beurre blanc. Il fait merveille, en les enrobant, avec de grands classiques comme la terrine de foie gras ou, mieux encore, le foie gras chaud déglacé avec du vinaigre ou un verjus.

Il peut aussi être amusant de servir le coteaux-du-layon sur des plats relevés et épicés dont il accentuera les saveurs. Il accompagne ainsi la cuisine marocaine, en particulier la pastilla au pigeon ou les tajines… J'aime ainsi beaucoup associer un vieux bonnezeaux ou un vieux vouvray avec l'agneau à l'abricot qu'Alain Ducasse prépare un peu à la manière d'un tajine.

Le coteaux-du-layon est également un beau vin de dessert. C'est un partenaire talentueux des tartes aux fruits toutes simples, aux pommes ou aux figues, de la tarte Tatin aux pommes caramélisées, ou d'une tarte aux pommes et aux coings – à condition toutefois de préférer une pâte sablée à une pâte feuilletée, qui serait trop grasse. Un pain perdu, des gaufres ou des crêpes accompagnées de confiture d'abricot pas trop sucrée le mettent également en relief.

Ce vin moelleux et plaisant rehausse enfin les arômes doux et frais d'une salade de fruits exotiques ou d'une simple salade de mangues.

Avec un rare équilibre entre acidité et sucre, le coteaux-du-layon est un partenaire talentueux de la tarte des sœurs Tatin aux pommes caramélisées.

CROZES-HERMITAGE

Vallée du Rhône septentrionale

Pour moi, le crozes-hermitage rouge est le « vin du sang ». Cette sensation très forte est liée à une tradition familiale, celle de tuer le cochon. En dehors de la fête que représentait la Saint-Cochon, j'ai vécu à ces occasions des moments intenses. Le matin, les voisins arrivaient pour partager le boudin tout chaud que l'on venait de préparer. C'est alors que j'ai osé le crozes-hermitage et que j'ai découvert une grande sensualité de goût entre le boudin, difficile à marier, surtout à une heure aussi matinale, et ce vin charnu et flatteur. Depuis lors, je trouve qu'il n'est pas de meilleur accord pour la rusticité d'un boudin noir – dont je retrouve le goût dans celui que sert Lulu en son restaurant parisien « L'Assiette » – que ce vin à la belle couleur dense et brillante et aux reflets violacés. On peut également s'amuser à le servir sur des boudins un peu pimentés comme des petits boudins créoles, il fera le même effet.

Il est dans les campagnes une autre tradition à laquelle j'associe ce vin de la vallée du Rhône, celle de la sanguette. Après avoir tué une volaille, on en recueille le sang dans une assiette ou un plat en terre, au fond duquel on dispose une couche de persil et d'ail haché. Lorsque le sang a coagulé, on le fait rissoler des deux côtés pour obtenir une sorte de galette, puis on lui ajoute du sel, du poivre et des épices. Mangée chaude avec un crozes ou un saint-joseph, la sanguette est l'occasion d'un moment simple et heureux.

Avec ses arômes d'iris et de pivoine, son côté poivré et un peu sauvage, le crozes-hermitage peut dérouter les non-initiés. Pourtant, j'aime le servir jeune, frais, sur une terrine de gibier, de faisan ou de lièvre. Il supporte bien ces goûts puissants, le gibier ne le domine pas. Il est aussi en harmonie avec un aligot tel qu'on le sert dans l'Aveyron, accompagné de saucisses de Toulouse grillées.

Ce vin apprécie les textures un peu fermes, solides, qui

LES VINS PROCHES DU
CROZES-HERMITAGE ROUGE :
Saint-joseph rouge
Mondeuse de Savoie
(dans certains cas)

POUR METTRE EN VALEUR UN
CROZES-HERMITAGE ROUGE :
Terrine de gibier
Boudin noir
aux pommes en l'air
Filet mignon de porc
au poivre vert
Risotto à l'encre

Le crozes-hermitage est un vin charnu et flatteur, c'est lui qui permet le meilleur accord avec le boudin noir.

Le crozes-hermitage jeune possède des arômes d'iris et de pivoine, son côté poivré et un peu sauvage accompagne une terrine de gibier, de faisan ou de lièvre, un filet mignon de porc au poivre ou une échine grillée.

appellent la soif. C'est pourquoi il s'entend bien avec un filet mignon de porc au poivre ou avec une échine grillée, mets qu'il exalte en leur apportant ses saveurs à la fois fluides et charnues.

Curieusement, le crozes-hermitage est un vin intéressant sur les poissons les plus puissants comme les rougets, voire même sur les oursins, au goût d'iode si prononcé. Le vin blanc peut alors être délaissé sans hésitation.

Le crozes-hermitage se révèle également flatteur sur un risotto à l'encre, une recette d'inspiration vénitienne, telle que la prépare Alain Ducasse. Il est difficile de trouver une meilleure association : la profondeur du vin et son côté encré sont parfaitement en phase avec le risotto « noirci » et concentré par l'encre de seiche.

J'ai un faible pour ce vin à la forte personnalité, si démonstratif et si expressif. Je n'hésite pas, l'été, à le faire déguster à des amis amateurs pour accompagner un repas en extérieur. C'est un vin original et séduisant que l'on a du plaisir à boire à soif.

Gewurztraminer

Alsace

Un cliché bien établi tend à assimiler le gewurztraminer à l'ensemble des vins d'Alsace, donnant une fausse idée des crus de cette région, que l'on considère, comme lui, trop fruités. Certes, comme le riesling, il évoque les cigognes et les maisons à colombages, mais il ne représente pas pour autant toute l'Alsace. Par sa très forte personnalité, sa grande originalité, ce nectar puissant et précis trouve sa place parmi les grands vins qui autorisent de très nombreuses audaces à table.

Je me souviens d'un symposium organisé il y a quinze ans à Hong Kong et Canton par le journaliste gastronomique Henri Gault, sur le thème « la cuisine chinoise et les vins français ». Nous avions apporté cinq grands vins français – un bourgogne, un bordeaux, un côtes-du-rhône, un sauvignon et un gewurztraminer – que nous avions choisis comme reflétant le mieux les différentes expressions du vignoble français. Nous les retrouvions, comme repères, sur chaque plat – et ils furent nombreux ! – pour déterminer lequel de ces vins réalisait avec lui le meilleur accord. Avec son arôme franc, net et primaire, son bouquet de rose et de litchi et son goût de raisin, le gewurztraminer est celui qui s'est le mieux comporté sur tous les plats chinois, y compris la cuisine séchouanaise, pourtant la plus relevée et la plus épicée. De fait, de tous les vins du répertoire, le gewurztraminer – plus ou moins épicé ou plus ou moins poivré selon les crus et les terroirs – est le plus approprié aux cuisines exotiques. Ainsi, toutes saveurs déployées, il s'harmonise en beauté avec un soufflé au curry ou un risotto au potiron et au safran comme on peut en manger en Italie, ses fragrances sublimant les notes épicées de ces plats.

Il ne faut pas hésiter à utiliser ce grand d'Alsace en apéritif. Je trouve même qu'il est parfait dans ce rôle. Expressif et démonstratif, le gewurztraminer apprécie tous les mélanges sucrés salés.

LES VINS PROCHES
DU GEWURZTRAMINER :
Les gewurztraminers
d'Allemagne,
d'Autriche
et d'Italie du Nord
Dans une moindre mesure :
les gewurztraminers
d'Afrique du Sud,
d'Australie et des États-Unis

POUR METTRE EN VALEUR
UN GEWURZTRAMINER :
Cuisine chinoise
Sole sauce homardine
Chevreuil aux airelles
Munster
Salade de litchis

*Le gewurztraminer
est parfait en apéritif,
expressif et démonstratif,
il apprécie tous les mélanges
sucrés salés.*

*L'accord parfait, c'est peut-
être celui du gewurztraminer
et du munster: une rencontre
de deux violences, celle
du munster fermier et affiné
et celle de ce vin puissant,
qui se fondent en une
douceur finale.*

En Alsace, on a l'habitude de déguster ce vin blanc avec du gibier, et notamment le chevreuil aux airelles. Servir un vin rouge dans cette circonstance peut sembler plus naturel – l'accord d'ailleurs ne sonne pas faux –, mais le gewurztraminer produit un effet tout aussi harmonieux. Son arôme fruité exalte la chair relevée mais délicate du chevreuil et le goût acidulé des baies rouges.

Dans un autre registre, ce grand cépage blanc est un fin complice des sauces homardines qui accompagnent souvent les soles ou les quenelles de brochet. Il est même un des rares vins capables de s'imposer face aux bisques, dont les arômes de crustacés sont si difficiles à coordonner.

Mais l'accord parfait est celui du gewurztraminer et du munster. Cette alliance est comparable à celle du roquefort et du sauternes. Là encore, la rencontre des deux violences, celle du munster fermier et affiné et celle de ce vin puissant, se fond en une belle douceur finale. Le gewurztraminer rehausse le côté floral du munster qui, de son côté, renforce le bouquet épicé du vin. L'explosion est inattendue, l'accord étonnant… Il ne suffit pas d'en parler, de l'imaginer ou d'en rêver, il faut l'expérimenter et le vivre, tant il est surprenant et somptueux. Je trouve personnellement qu'il est plus juste, plus pur si on ne rajoute pas de carvi, ce « cumin des prés » couramment utilisé pour aromatiser le fromage. Rien n'interdit d'y avoir recours, mais c'est tellement meilleur sans !

Vin dominant et exubérant, le gewurztraminer fait un bon mariage d'arômes avec une salade de litchis pas trop sucrée, le gingembre confit, le pain d'épices et les desserts à base de cannelle, dont les saveurs se fondent dans son bouquet si riche et si parfumé.

Il est difficile de bâtir tout un repas autour de ce vin tant il est aromatique : les accords risquent de se banaliser, de réduire l'effet de surprise du munster… Si l'on souhaite tenter l'expérience, je conseille de varier les vins en fonction des origines des crus et des terroirs, et de construire une progression dans le sucré en partant d'un gewurztraminer sec pour terminer sur une vendange tardive ou même sur une sélection de grains nobles.

GRAND CRU CLASSE DE GRA
CHATEAU HAUT-BAIL
PESSAC-LÉOGNAN
1990
G.F.A. SANDERS, PROPRIETAIRE A LEOGNAN
MIS EN BOUTEILLE AU CH
Produce of France

GRAVES ET PESSAC-LÉOGNAN ROUGES

Bordelais

L es graves et les pessacs-léognans rouges sont des vins d'un grand équilibre. Harmonieux, sans pics ni heurts, modérément suaves, dotés d'à peine moins de profondeur que les médocs, ils développent dans leur jeunesse des arômes complexes et fins associés à des notes boisées, légèrement fumées, évoquant la cheminée, la suie.

À ce stade, ils sont irremplaçables pour escorter la lamproie ou l'alose, ces spécialités de la cuisine bordelaise. Je trouve même que l'accord est plus juste avec les graves qu'avec les vins de la rive droite de la Dordogne, car leurs tannins plus fondus enveloppent bien ces poissons plutôt gras et cuisinés en civet avec du vin rouge.

Servis frais – presque à température de cave –, les plus jeunes créent une belle harmonie avec les petites huîtres du bassin d'Arcachon, que l'on accompagnera, comme le veut la tradition bordelaise, de saucisses chaudes. Le goût d'iode est atténué par les saucisses qui, de leur côté, sont magnifiées par la note un peu fumée du graves.

Grâce à leur caractère suave, ces vins s'entendent à ravir avec les entrées froides comme la terrine de ris de veau ou la salade de magrets de canard, fumé ou non. Ce sont, parmi les vins du Bordelais, les plus adaptés aux repas d'été en extérieur. Ils rehaussent de leur structure légèrement corsée un gigot froid ou un bœuf en gelée.

Sans en faire des vins passe-partout, je dirais que les graves rouges sont de bons complices de la cuisine dite familiale, tant ils sont digestes et peu fatigants. On les associe donc avec succès à la plupart des volailles et des viandes rouges – onglets, entrecôtes – poêlées ou grillées, aux côtes d'agneau et en particulier au carré cuit au four sous une chapelure d'herbes.

Ce sont certainement les vins que les sommeliers recommandent le plus souvent en guise de compromis, y compris

LES VINS PROCHES DES GRAVES ET DES PESSACS-LÉOGNANS :
L'ensemble
**des vins du Médoc
et du Haut-Médoc**

POUR METTRE EN VALEUR UN GRAVES OU UN PESSAC-LÉOGNAN :
Huîtres accompagnées
de petites saucisses
Terrine de ris de veau
Carré d'agneau
Fromages de Hollande

Ces grands châteaux de la rive gauche de la Garonne possèdent de réelles aptitudes au vieillissement et conservent avec l'âge un équilibre harmonieux.

Il faut alors les servir sur des mets mijotés lentement avec des champignons ou des truffes qui se fondent dans leurs arômes patinés.

*Les graves rouges
sont de bons complices
de la cuisine familiale.
On les associe avec succès
aux côtes d'agneau et
en particulier au carré cuit
au four sous une chapelure
d'herbes.*

pour accompagner un poisson. L'accord n'est certes pas parfait, mais il a du moins le mérite de ne pas être le plus mauvais !

Comme tous leurs autres frères en Bordelais, les pessacs-léognans et les graves fraternisent volontiers avec les tommes de brebis, les vieux hollandes et les fromages de montagne.

Ces grands châteaux de la rive gauche de la Garonne possèdent de réelles aptitudes au vieillissement, conservant avec l'âge leur équilibre harmonieux. Ils délaissent alors les cuissons simples et rapides au profit des mets mijotés plus lentement qui incorporent les champignons et la truffe – comme par exemple la poularde aux truffes –, ces ingrédients se fondant dans leurs arômes patinés.

Il se passe quelque chose de curieux avec les graves, vieillis ou non, comme avec beaucoup d'autres appellations. Certaines sont lourdes – pomerol, pommard… –, d'autres légères – chambolle, volnay, graves… Cette impression diffuse recouvre-t-elle une réalité, ou bien traduit-elle une sensibilité inconsciente à la musique des mots ?…

HERMITAGE BLANC

Vallée du Rhône septentrionale

L'hermitage blanc est le vin par excellence de la truffe et de l'ail. Il peut s'enorgueillir de sa faculté à accompagner l'ail, car ce privilège n'est donné à aucun autre vin. Cette plante à l'odeur forte est en effet d'ordinaire l'ennemie des vins, qu'elle a tendance à dominer de sa saveur piquante. Or le bouquet de foin et d'iris de l'hermitage jeune fait remarquablement écho à celui du condiment vedette de la cuisine méditerranéenne, associé ou non aux herbes parfumées de Provence et au pistou.

Servi frais, ce vin opulent et peu acide va s'ouvrir à bien des recettes du terroir méridional. Sa présence est remarquée sur une brandade de morue, cette spécialité provençale de morue pochée, effeuillée puis pilée avec de l'ail et de l'huile d'olive. Il ne s'efface pas comme bien d'autres avec des coquilles Saint-Jacques à la provençale. Et il est aussi plaisant de le boire sur des pâtes de minuit, cette spécialité italienne de pâtes à l'ail que l'on mange au milieu de la nuit.

Jeune, il s'entend fort bien avec la saveur alliacée de la truffe blanche d'Alba. Je pense à certains accords dont je me suis délecté comme le risotto, les pâtes à la truffe blanche ou encore le potage Parmentier, sur lequel on râpe quelques lamelles de truffe blanche.

Mais son inclination pour l'ail n'est pas la moindre curiosité de ce vin, hélas peu connu, à la belle couleur soutenue, blanc très doré, que je considère comme l'un des plus grands vins blancs français.

Il possède en effet cette particularité rare de « rajeunir en vieillissant », pour reprendre l'expression imagée de Michel Bettane, journaliste et spécialiste du vin. En effet, si dans sa prime jeunesse l'hermitage se montre peu expressif, il acquiert avec l'âge des arômes d'acacia, d'aubépine, de miel, et des notes torréfiées de noisettes et d'amandes grillées. Ce n'est plus alors la truffe blanche qui le magnifie, mais la

LES VINS PROCHES
DE L'HERMITAGE BLANC :
Crozes-hermitage blanc
Saint-joseph blanc
Saint-péray
Chignin-bergeron
dans ses belles années

POUR METTRE EN VALEUR
UN HERMITAGE BLANC :
Ravioles aux truffes
Brandade de morue
Pâtes à l'ail
Canard aux pêches
Saint-marcellin

L'hermitage blanc, opulent et peu acide, est le vin de la truffe et de l'ail.

L'hermitage acquiert avec l'âge des arômes d'acacia, d'aubépine, de miel, de noisettes et d'amandes grillées qui forment avec la truffe noire un ensemble parfaitement harmonieux.

truffe noire, celle dite « du Périgord », ce champignon sombre et mystérieux au parfum puissant et captivant. Il accepte alors, cuisinés avec des truffes, le céleri rémoulade, les œufs brouillés, les coquilles Saint-Jacques, les ravioles… ou encore les truffes en chausson, auxquelles il apporte son élégante puissance.

Ce vin blanc généreux de la vallée du Rhône autorise encore d'autres alliances plus inattendues, comme avec la cuisine à l'aigre-doux en général, et le canard aux pêches en particulier. Et grâce à son opulente rondeur, très ample et enveloppante, il apprécie – ce qui n'est jamais évident – les soupes un peu « gluantes » telles qu'on les mange en Chine, comme la soupe aux nids d'hirondelles ou aux abalones.

Il remplace enfin avec avantage bien des vins rouges sur certains fromages comme le saint-marcellin, coulant et crémeux.

Hermitage rouge

Vallée du Rhône septentrionale

L'hermitage rouge est un vin de grande cuisine et de mets raffinés et recherchés. Son caractère, sa structure, son velouté appellent des plats riches en goût. Eux seuls parviennent à contrebalancer sa puissance, qui n'est pas un vain mot. Les négociants en vins du XIXᵉ siècle utilisaient même

Une bécasse au goût puissant sera sublimée par les notes torréfiées de l'hermitage rouge.

51

ce cru pour « hermitager » leurs vins peu attractifs, c'est-à-dire pour remonter leurs cuvées les plus faibles avec les vins de la colline de Tain-l'Hermitage.

L'hermitage est donc le vin classique du gibier, à poil comme à plume. Un râble de lièvre trouve ainsi un parfait partenaire dans un hermitage jeune, serré, presque noir, au bouquet associant des arômes floraux d'iris, de violette et de pivoine, à des notes torréfiées, poivrées et de fruits très mûrs un peu compotés. Une bécasse, cet oiseau si rare, si fin mais au goût si puissant, est également sublimée par les notes torréfiées de ce grand vin rouge de la vallée du Rhône. Et les saveurs fortes d'une tourte de faisan chaude sont atténuées par ce vin original et complice. Une viande servie nature n'amortirait pas assez le vin, ne le mettrait pas en valeur et le transformerait en une caricature.

Vieilli, ayant évolué vers une belle couleur brique orange et des bouquets tertiaires exprimant le cuir et le gibier, l'hermitage se marie avec le lièvre à la royale cuisiné selon la recette du sénateur Couteaux, sans foie gras, mais cuit dans le vin, avec surtout de l'ail et des échalotes et bien relevé d'épices, de poivre et de noix de muscade : la correspondance entre l'odeur animale du gibier et le bouquet giboyeux du vin est stupéfiante.

L'hermitage réussit aussi un bel équilibre sur les viandes cuisinées avec une sauce au vin, qu'il enrichit de son séveux. Mais tout chaud et gourmand qu'il soit, cet accord n'est pas aussi puissant qu'avec le gibier. Ce grand vin crée encore une merveilleuse symphonie de saveurs avec une sorte de pot-au-feu où le foie gras est poché dans le bouillon de volaille et cuit dans une cocotte lutée avec des morceaux de céleri et de truffe, un plat très fin dû à l'inspiration de Philippe Braun. La puissance du céleri au goût terreux associé à la truffe se trouve rehaussée, dans une profonde harmonie, par celle du vin dense, velouté et onctueux, que son côté méridional rend moins acide que le côte-rôtie – avec lequel il présente pourtant de nombreuses similitudes.

Comme les vins de la côte Rôtie d'ailleurs, je trouve que l'hermitage est rarement mis en valeur par un fromage.

LES VINS PROCHES
DE L'HERMITAGE ROUGE :
Cornas
(les plus belles cuvées)
Saint-joseph rouge
(de toutes petites parcelles
de l'appellation, situées en
face du coteau de l'Hermitage)
Côte-rôtie
(dans certains cas)
Crozes-hermitage rouge
(de coteau)

POUR METTRE EN VALEUR
UN HERMITAGE ROUGE :
Tourte de faisan chaude
Bécasse rôtie
Lièvre à la royale
du sénateur Couteaux
Viandes en sauce au vin
Pot-au-feu de foie gras
aux truffes et au céleri

*Un hermitage un peu vieilli
ne se boit pas en début
de repas. Mieux vaut
commencer avec un autre
hermitage, plus jeune,
de petite année, ou un tout
autre vin.*

JURANÇON

Sud-Ouest ~ Pyrénées

LES VINS PROCHES
DU JURANÇON :
Pacherenc du Vic-Bilh

POUR METTRE EN VALEUR
UN JURANÇON :
Foie gras de canard
en conserve
Poulet à l'aigre-doux
Ossau-iraty
Cannelés bordelais

Un jurançon accompagnant un foie gras en terrine forme un accord réjouissant, surtout s'il s'agit d'un foie gras de canard en conserve. Avec la mode du foie gras frais, mi-cuit, on a quelque peu oublié ce foie gras conservé dans des boîtes métalliques de fer blanc que l'on peut garder plusieurs années – les conserves peuvent même être millésimées ! Dans ce cas, la texture du foie nourri par la graisse devient plus ferme, plus tendue, son goût plus précis, un peu comme les sardines qui se bonifient en vieillissant, et le jurançon se marie bien avec cette consistance. Sa forte acidité tempère et allège le gras, le réveille tout en préservant le caractère onctueux du foie.

C'est dans son expression liquoreuse – car il existe aussi des jurançons secs – que ce vin blanc du Sud-Ouest est, à mon sens, le plus abouti. Grâce à ses arômes de fruits exotiques, d'ananas, mêlés à des parfums de muscade, de cannelle et de clou de girofle, ce vin moelleux, mais toujours vif et frais, s'harmonise avec les cuisines difficiles à base de fruits exotiques, en particulier la cuisine des îles. Le jurançon opère un merveilleux équilibre sur toutes les viandes blanches, le quasi de veau aux ananas ou le poulet créole ou à l'aigre-doux.

Sur les fromages à pâte persillée, ce vin doux peut jouer le même rôle qu'un sauternes, et réaliser avec un bleu des Causses, un bleu d'Auvergne, un roquefort ou une fourme d'Ambert, un subtil mariage par contraste de sensations. Le jurançon est aussi un digne partenaire des fromages de brebis basques très secs comme l'ossau-iraty. Sa saveur sucrée maquille le piquant du fromage et remplace avantageusement la confiture de cerise noire qui l'accompagne traditionnellement pour en adoucir le goût.

Liquoreux, le jurançon est un merveilleux vin de desserts qui met en valeur une tarte aux mangues, une salade de fruits, un ananas rôti au beurre, voire une simple tranche d'ananas frais. Il accompagne avec gourmandise une galette des rois feuilletée fourrée à la frangipane ou aux fruits. Parfois, les accords de proximité ont du bon… et l'alliance d'un jurançon sur un gâteau basque en est la juste illustration.

Je le préfère, comme beaucoup de vins liquoreux, entre les repas. Le caractère exceptionnel d'un jurançon de vendanges tardives est alors mieux valorisé. Je l'aime tout simplement avec des cannelés bordelais. Le vin n'est en rien dérangé par la présence de rhum dans le gâteau, au contraire. Son extérieur croustillant et caramélisé – on dit que « quand c'est noir, c'est cuit » –, associé à une pâte encore moelleuse et peu sucrée à l'intérieur, me paraît indispensable pour comprendre l'équilibre « moelleux-acide » du jurançon.

Un jurançon de vendanges tardives, associé à des cannelés bordelais, est une merveille, encore plus sublime lorsqu'il s'agit de ceux du célèbre pâtissier Pierre Hermé.

Mâcon blanc

Bourgogne ~ Mâconnais

LES VINS PROCHES
DU MÂCON BLANC :
Beaujolais blanc
Mâcon villages
Pouilly-fuissé
Rully blanc
Saint-véran
Mercurey blanc
Givry blanc

POUR METTRE EN VALEUR
UN MÂCON BLANC :
Radis noirs
Crustacés
Soufflé au fromage
Blanquette de veau
Quenelles de brochet

Le mâcon blanc est le vin du casse-croûte matinal des chasseurs. Il est pour moi, comme le chablis, le vin d'un déjeuner. Ce bourgogne blanc, d'expression rapide, a un équilibre qui le situe entre le meursault, parfois un peu trop rond, et le chablis, très vif et un peu pointu. Onctueux et nerveux, le mâcon blanc est un vin de cuisine simple, le type même du vin blanc à possibilités multiples, en un mot, le convive facile à table.

Avec son puissant goût de fruit, le mâcon blanc est une séduisante mise en bouche pour commencer un repas. J'irais presque jusqu'à dire que c'est un vin d'apéritif... J'aime le servir avec des radis noirs bien croquants accompagnés de fleur de sel, de beurre et de tartines de pain grillé, ou encore sur des filets de thon germon arrosés d'un peu de citron.

Dans son expression jeune – c'est souvent ainsi que je le préfère –, on peut l'amener sur les coquillages et les crustacés, sur des huîtres, un tourteau, des crevettes ou des langoustines mayonnaise.

On a souvent tendance à marier les chèvres un peu secs du Charolais, ou les saint-marcellins, avec un vin rouge, mais je trouve qu'un mâcon blanc est plus approprié à ces fromages, qui ont besoin d'être mouillés. De cette alliance, il résulte un goût de noisette agréable et très fin.

Ce bourgogne blanc enrobe bien un comté, un reblochon, un vacherin, une cervelle de canut aux herbes, tout en réveillant leurs arômes par sa note vive et pointue. La rencontre se révèle gourmande.

Selon les années, les terroirs et les vignerons, le vin est plus ou moins riche et proche du meursault. Il reprend alors ses accords et fait par exemple un bon duo avec des quenelles de brochet en sublimant leur côté brioché, à condition que la sauce homardine qui les accompagne traditionnellement reste au second plan. Ce type de mâcon est également préférable pour accompagner des cuisses de grenouille, une poule au pot et même une blanquette de veau, surtout si on ne lésine pas sur la crème et les champignons. Ample, il enveloppe bien ces plats.

Son caractère vif et corpulent respecte un soufflé au fromage, là où un vin de Savoie serait trop incisif pour ce mets qui allie légèreté et puissance de goût.

Vendangeant avec risque, bien après la période habituelle, certains vignerons poussent la recherche de l'expression plus loin encore pour échapper à la standardisation. Les résultats peuvent dérouter, mais ils témoignent des ressources dont dispose l'appellation.

Le caractère vif et corpulent d'un mâcon blanc se marie bien avec un soufflé au fromage.

Madiran

Sud-Ouest ~ Pyrénées

Le madiran a été très en vogue à Paris pendant les années soixante-dix… C'était alors soit un vin très rustique, soit un passe-partout et standardisé, cherchant à imiter les bordeaux les plus légers. Aujourd'hui, grâce à l'œnologie moderne et aux efforts conjugués de jeunes vignerons qui le produisent, le madiran est devenu plus soyeux, plus velouté, et sa rusticité s'est anoblie. La profession a bien compris son potentiel original et une ère nouvelle commence pour ce vin.

En raison de son caractère puissant et de sa charge tannique impressionnante – son cépage principal est le tannin ! –, ce vin est longtemps resté confiné à la cuisine régionale, à base de graisse d'oie. Ce n'est pas un hasard, car ils ont besoin l'un de l'autre pour s'exprimer pleinement. La cuisine du Sud-Ouest, un peu grasse, réclame un vin solide, robuste, tannique, pour atténuer et assimiler le caractère trop envahissant de la graisse, tandis que le vin recherche un partenaire qui gomme son astringence.

Ce vin sombre, presque noir, au goût parfois terreux, peu expressif dans sa jeunesse mais laissant percer des arômes de fruits noirs et de cerises, est le vin de tous les confits – de canard, d'oie, de volaille ou de porc… Ce n'est pas la viande qui compte dans cette alliance, mais le mode de cuisson et la graisse d'oie. Le madiran se marie bien avec le cassoulet, qu'il soit de Toulouse, de Carcassonne ou de Castelnaudary. Il aime en effet beaucoup les haricots, qui ont besoin d'un vin suffisamment charnu, rond et séveux pour les accompagner. Par extension, ce puissant vin du Sud-Ouest est aussi celui des fèves et des lentilles.

Son association avec un foie gras de canard chaud aux haricots noirs pimentés, recette que l'on doit à Philippe Braun et qui est sans doute l'une des plus belles réussites en matière de foie gras poêlé, est simplement sublime. J'aime cette rencontre étrange de deux éléments apparemment lourds et rustiques, le

---

LES VINS PROCHES
DU MADIRAN :
Cahors
Irouléguy rouge

POUR METTRE EN VALEUR
UN MADIRAN :
Foie gras de canard poêlé
aux haricots noirs pimentés
Truffe noire du Périgord
Cassoulet
Confit d'oie
Fromages des Pyrénées

Le madiran était un vin « à la mode » dans le Paris des années soixante-dix, alors que les Parisiens découvraient les bonnes tables du Sud-Ouest, comme « Le Trou Gascon », « Lamazère » et « Lou Landès ».

haricot noir et l'abats, qui finit par former une alliance élégante, légère et raffinée.

Quand la cuisine du pays basque utilise le piment d'Espelette séché comme condiment à la place du poivre, elle a besoin d'un cahors ou d'un madiran. En revanche, lorsqu'elle fait entrer les poivrons dans ses recettes, l'accord est moins heureux.

Il serait tout à fait injuste de cantonner ce vin au seul rôle de compagnon de plats roboratifs. Le madiran, serré et concentré, a sa place auprès des vins un peu riches – côtes-du-rhône, hermitages – qui exaltent une daube, une volaille en sauce au vin, tous ces plats qui ont besoin d'un vin au caractère très séveux. Il se montre également digne, dans sa phase évoluée, des truffes noires du Périgord, surtout lorsqu'elles sont servies chaudes.

Le madiran trouve dans les fromages des Pyrénées un bon faire-valoir. L'accord est facile, mais on aurait tort de s'en priver. Il peut aussi s'allier avec un vieux gouda ou une vieille mimolette, enrobant de son moelleux les textures rancies de ces fromages, comme un bordeaux.

Le foie gras de canard chaud aux haricots noirs pimentés de Philippe Braun est l'une des recettes les plus en accord avec le caractère puissant d'un madiran.

MÉDOC

Bordelais

J'aime le médoc quand il devient adulte – entre quatre et sept ans – mais n'a pas encore pris la patine de l'âge. À ce stade, il est irremplaçable dans le rôle du chevalier servant d'un gigot d'agneau ou d'une épaule, plus goûteuse, à condition d'éviter les légumes verts qui durcissent le vin, et de leur préférer les traditionnels flageolets, qui ne se heurtent pas à son tannin.

Jeune, avec ses arômes de chêne et de résineux associés à des notes de réglisse, de mûres et de myrtilles, le médoc s'entend bien avec la plupart des viandes, de préférence pures, brutes et simples, grillées et rôties Il n'est pas contrarié par une palombe ou des gibiers à plume peu faisandés et il est mis en valeur par les abats, rognons ou foie de veau. À Noël, il participe à la fête en escortant un chapon, une oie ou une dinde rôtis, garnis de marrons qui ne repoussent pas le vin mais au contraire l'attendrissent.

Si ce grand vin apprécie les confits froids cuisinés avec des pommes de terre sautées à la graisse d'oie, il supporte mal la charcuterie et le jambon cru, qui ont tendance à l'affermir.

Vieilli, lorsque le bois s'est fondu dans des arômes tertiaires de cèdre, de tabac et de cuir, le médoc devient assez complexe pour rehausser les viandes braisées et compotées qui donnent des chairs tendres et rondes.

Le médoc n'aime pas les fromages à croûte lavée de type normands ou briards. Il leur préfère les fromages de montagne plus enveloppants. Les Bordelais affectionnent les vieux hollandes – gouda, édam, mimolette –, au goût légèrement noiseté. L'accord est délicieux, car ces fromages très secs, aux textures serrées, font ressortir le vin sans le dominer.

Ce grand du Bordelais n'est pas un vin de dessert. On peut cependant lui proposer, sans se rendre coupable d'hérésie, des gariguettes, des framboises, des fraises des bois ou une salade de pêches poivrées et arrosées de vin. C'est bon, certes, mais est-ce un véritable accord?…

LES VINS PROCHES DU MÉDOC :
Haut-médoc
Listrac
Moulis
Les cabernets sauvignons américains, italiens, australiens et chiliens

POUR METTRE EN VALEUR UN MÉDOC :
Épaule d'agneau rôtie et flageolets
Magret de canard
Vieux fromages de Hollande

Le médoc est irremplaçable sur le traditionnel gigot d'agneau.

Mᴇʀᴄᴜʀᴇʏ ʀᴏᴜɢᴇ

Bourgogne ~ Côte chalonnaise

Tendre et fruité avec ses arômes de cassis, de framboise, de griotte et de cerise, le mercurey « pinote » bien, c'est-à-dire qu'il reflète bien l'expression de son cépage, le pinot noir.

Ce vin emblématique de la côte chalonnaise remplace avantageusement un vin blanc pour accompagner les terrines de canard, de gibier ou de volaille, à condition d'être réservé sur les condiments et prudent sur les cornichons et les oignons, qui rétractent les chairs du vin et le durcissent. Il convient dans ce cas de le choisir jeune et de le servir à température de cave, c'est-à-dire autour de 12°.

Jeune — comme je le préfère —, il est tout simplement superbe sur la dinde de Noël. Il fait aussi honneur à un pigeon servi avec des pommes paille, un poulet fermier ou un poulet de Bresse rôti ou cuit au four, avec la peau craquante et bien soufflée, accompagné de grosses frites un peu charnues ou d'un gratin de pommes de terre. J'en ai souvent mangé — et toujours avec le même bonheur — chez Michel Juillot, vigneron à Mercurey, qui a compris à quel point ce plat magnifiait ses vins. Ce bourgogne rouge apprécie le goût rôti des volailles.

Il apporte aussi sa fraîcheur, sa puissance et son fruité à des plats compotés et confits comme le bœuf bourguignon, le bœuf à la ficelle, le navarin d'agneau ou le lapin sauté aux petits oignons. Il se plaît également en compagnie de la viande de porc, en particulier de l'échine grillée, la partie la plus goûteuse et la plus persillée, dont la saveur caractéristique rehausse ses fragrances.

Ce bourgogne refuse les fromages régionaux au goût puissant – époisses, langres, cîteaux… – qui ponctuent traditionnellement repas et banquets, mais il supporte mieux les tommes d'Auvergne comme le cantal fermier ou le salers, ou encore les fromages d'alpage un peu anciens tels que le fribourg ou le gruyère. Encore jeune et plein de fruit, je l'aime sur des framboises ou des fraises des bois associées à un fontainebleau tout juste ôté de sa gaze.

Les bonnes années assurent au mercurey une garde très satisfaisante. Il se prête alors à des accords comparables aux vieux vins de la côte de Beaune.

Il n'est pas toujours facile de se construire une réputation aux côtés de voisins dédaigneux et « supérieurs » comme les Nuitons ou les Beaunois. C'est pourquoi je voudrais saluer ici l'effort global de qualité entrepris par tous les vignerons de Mercurey qui ont réussi à surmonter, par leur talent et leur rigueur, leur complexe d'infériorité. L'amateur de vin saura en profiter pour constituer sa cave.

*Le mercurey apprécie
le goût rôti des volailles,
la dinde de Noël, le pigeon,
un poulet fermier ou
un poulet de Bresse rôti
accompagné de grosses frites
un peu charnues.*

MEURSAULT

Bourgogne ~ Côte de Beaune

Le meursault est un vin flatteur, opulent, très gras – on dit même qu'il est « beurré » ! Son moelleux est tel qu'il donne l'impression d'être sucré alors qu'il ne l'est pas. Avec les années, j'ai trouvé les mêmes plaisirs chez ses « voisins », les premiers crus ou les grands crus de Puligny et de Chassagne, des vins d'une grande finesse et d'un équilibre très complexe entre moelleux et vivacité. Ce que ces crus ont perdu en chair et en opulence, ils l'ont gagné en longueur d'expression et en nuance aromatique.

Bien qu'il soit déjà fort expressif dans sa jeunesse, il est préférable d'amener ce grand blanc bourguignon à maturité pour le servir sur ses expressions plus évoluées d'amande grillée, de caramel, de noisette, de beurre fondu ou de pain toasté, brioché, plutôt que sur ses arômes de jeunesse à base de notes boisées et vanillées, plus communes.

Un meursault est parfait avec un foie gras en terrine, surtout s'il affiche les grands millésimes des années ensoleillées qui donnent les vins les plus généreux. La concordance de moelleux, de gras, est exceptionnelle. Pour la même raison, ce grand vin blanc s'harmonise bien avec une volaille crémée et truffée, avec la texture fine et délicate des poissons nobles – turbot et sole – cuisinés avec un beurre manié, et avec des crustacés en sauce. Je déconseille ce bourgogne blanc sur les huîtres, car il supporte mal le goût d'iode trop prononcé. Mais si l'on doit à tout prix en servir, on préférera les belons élevées en eaux claires, moins iodées et plus noisetées, qui heurteront moins les arômes du vin.

Le meursault remplace avec brio les vins rouges un peu acides, astringents et maigres, sur la volaille et la viande de veau en général – notamment les bouchées à la reine, le vol-au-vent et certains abats comme les ris de veau. Il est beaucoup moins risqué de servir sur ces plats un bourgogne blanc qu'un vin rouge, susceptible de créer une mésalliance.

LES VINS PROCHES
DU MEURSAULT :
Corton-charlemagne
Puligny-montrachet
Chassagne-montrachet
Les premiers crus de Puligny
et de Chassagne
Grands crus :
Bâtard-montrachet
Criots-bâtard-montrachet
Bienvenues-bâtard-
montrachet
Chevalier-montrachet
Montrachet

POUR METTRE EN VALEUR
UN MEURSAULT :
Terrine de foie gras
Vol-au-vent
Vieux fribourg et reblochon

Un peu vieilli, le meursault fait merveille avec des fromages d'alpage de type comté, gruyère, vieux fribourg, vacherin ou reblochon.

MORGON

Bourgogne ~ Beaujolais

*Le morgon se boit frais,
à température de cave ;
dans le Beaujolais, on le met
à rafraîchir dans un seau
que l'on descend dans le puits.*

Le morgon est un vin tendre aux arômes très présents de cerise, de griotte, de framboise et de sherry. Il se boit jeune, mais pas avant qu'il ait fait ses Pâques, et frais, à température de cave – dans le Beaujolais, on le met à rafraîchir dans le puits. Sa gaieté accompagne à ravir la terrine de lapereau, à condition de ne pas trop forcer sur l'estragon qui risque de le heurter, les charcuteries de type rosette ou jésus, ou encore le jambon persillé. Cette entrée bourguignonne traditionnelle est bien meilleure avec un cru du Beaujolais qu'avec un pinot noir de la côte de Beaune ou de la côte de Nuits.

L'accord le plus convaincant demeure cependant pour moi celui du morgon et des pieds de porc à la Sainte-Menehould. Je trouve l'association du gélatineux du plat et de la texture tendre du vin très harmonieuse. Le côté flatteur et merveilleusement fruité du morgon souligne les pieds de porc même si on leur ajoute de la moutarde ; les frites et la salade assaisonnée d'un vinaigre de framboise se joignent à la noce sans complexe.

Le morgon n'est pas trop gêné par le vinaigre. C'est la raison pour laquelle la tête de veau gribiche, d'ordinaire si difficile à marier avec un vin, passe bien avec ce beaujolais de cru qui arrondit et apaise la sauce grâce à son fruité.

En revanche, j'estime que les spécialités beaujolaises ne sont pas toutes appropriées au morgon, comme d'ailleurs aux autres crus du Beaujolais. Ainsi, un saucisson chaud en brioche est bien plus à son aise avec un blanc du Mâconnais qu'avec le rouge qui lui sert souvent de partenaire et qui n'est pas assez pointu pour valoriser sa saveur. De même, un saint-marcellin développe avec un vin rouge des goûts un peu lactiques, alors qu'un beaujolais blanc souligne bien mieux ses arômes. La cervelle de canut aux herbes, ce fromage blanc battu et parfumé d'échalotes hachées, de fines herbes et de vin blanc, est elle aussi plus goûteuse avec un beaujolais ou

*Sur des pieds de porc
à la Sainte-Menehould,
un morgon associe de façon
très harmonieuse le côté
gélatineux du plat et
la texture tendre du vin.*

un mâcon blancs qu'avec un beaujolais rouge, qui ne rehausse pas suffisamment son goût original.

Certaines parcelles situées sur les communes de Moulin-à-Vent, Juliénas, Chénas, Saint-Amour et Fleurie, méritent qu'on les laisse vieillir. J'ai appris à connaître et à aimer ces vieux beaujolais au « Bar des BOF », un bistrot insolite de la place des Innocents, dans les anciennes Halles de Paris. Le patron nous servait des Chénas 1959 qu'il nous arrivait de prendre pour des bourgognes de la côte de Beaune. Ce n'était pas la moindre fierté de cet homme que d'arriver à nous tromper, lui qui s'était fait une spécialité de ces vieux beaujolais. Ces vins s'étaient métamorphosés au point d'être confondants – on disait alors qu'ils « pinotaient » !...

À table, ces vieux beaujolais « confondants » se comportent comme les vieux bourgognes. Avec leur arôme tertiaire aux notes giboyeuses, ils soulignent et relèvent les sauces au vin. Un coq au vin préparé avec des champignons et des lardons crée un merveilleux accord avec le morgon, le séveux de la sauce graissant le vin. Je me souviens des superbes coqs au vin que préparait ma mère avec des bouteilles de vieux beaujolais, celles que mon père trouvait trop vieilles mais qui faisaient, disait-elle, ses meilleures sauces. Je n'ai jamais retrouvé ces goûts depuis.

Muscadet

Vallée de la Loire ~ Pays nantais

Pour moi, le muscadet est un vin de marin. Je l'associe volontiers au monde des bateaux, à celui de la voile, à la pêche, à ces ambiances maritimes et au bord de mer… C'est un vin du matin, un vin de casse-croûte, que j'ai plaisir à boire en grignotant des crevettes au comptoir d'un bistrot ou en dégustant quelques huîtres sur le quai d'un port. C'est un vin de soif aussi, désaltérant, fringant, sans grande longueur en bouche. C'est du moins le cas du muscadet le plus connu, celui qui, élevé sur ses lies fines – le dépôt qui nourrit le vin et protège son fruit –, présente un léger perlant. Mis en bou-

LES VINS PROCHES DU MUSCADET :
Bordeaux blancs
Entre-deux-mers
Picpoul de Pinet
Vinho verde (Portugal)

POUR METTRE EN VALEUR UN MUSCADET :
Crevettes grises
Plateau de fruits de mer
Tourteau mayonnaise
Sardines en boîte
Sole grillée

Le muscadet est un vin de casse-croûte, un vin du matin, que l'on peut boire en grignotant des crevettes.

Le muscadet traditionnel est un vin d'expression simple. Ses arômes de pomme et de fleurs blanches et de chèvrefeuille, et sa saveur légèrement iodée s'accordent bien avec des sardines en boîte, surtout si on les accompagne d'une tranche de pain grillé et de petites rates coupées en fines tranches et arrosées d'un filet d'huile d'olive.

teille à la fin de l'hiver, le muscadet est un vin de printemps et d'été, comme le beaujolais nouveau est un vin d'automne. J'aime cette notion de vin nouveau, liée chaque année à l'idée de renaissance et d'énergie nouvelle.

Le muscadet traditionnel est un vin d'expression simple – ce qui n'a rien de péjoratif! Contrairement aux idées reçues, il n'est pas si acide que cela. Derrière ses accents de pomme et de fleurs blanches, de chèvrefeuille notamment, il développe une saveur légèrement iodée qui s'accommode merveilleusement bien des huîtres d'été dégustées sur les côtes de l'Atlantique, à Arcachon, à l'île de Ré ou à Quiberon, surtout les huîtres un peu vertes comme les marennes d'Oléron.

Léger, sec mais parfumé, ce vin est rafraîchissant avec des plats simples, peu cuisinés, comme les coquillages et les fruits de mer – les coques, les bulots, les bigorneaux, les crevettes grises, les tourteaux servis nature ou avec une sauce mayonnaise. Il sait aussi faire honneur à une sole tout simplement grillée.

Ce vin de la vallée de la Loire est également un bon partenaire des sardines en boîte… mais pas n'importe lesquelles. Je pense aux sardines préparées artisanalement, savourées avec de petites pommes de terre, des rates par exemple, coupées en fines tranches, arrosées d'un filet d'huile d'olive et accompagnées de fleur de sel et d'une tranche de pain grillé – une gourmandise simple mais vraie.

Il existe aussi une autre sorte de muscadet. Fruit de la recherche de certains vignerons, ce vin est élevé plus lentement, parfois en fût – ce qui lui assure un potentiel de vieillissement plus long et d'expression plus riche. Il perd un peu de son perlant et gagne en séveux, en puissance et en longueur en bouche, tout en restant sec. Il permet alors de quitter les alliances traditionnelles avec les huîtres pour se réorienter vers des plats plus cuisinés, des sautés, des volailles à l'estragon, des poissons en sauce au beurre, des moules à la crème, ou encore des moules marinières rehaussées d'un peu de curry comme celles dont je me délecte à « L'Écailler », un restaurant de La-Flotte-en-Ré.

Muscat d'Alsace

Alsace

Le muscat est un curieux raisin, l'un des rares à ne pas perdre son identité au cours de la fermentation. Il donne un vin flatteur, au goût très particulier de rose, de fleur de sureau, de tilleul, de coing et de raisin frais... Son caractère « muscaté » s'apparente à celui des vins doux naturels du Midi, mais le muscat d'Alsace est avant tout vif et sec. C'est un superbe et délicieux vin d'apéritif, pourtant, à cause de son caractère si précis, ce vin d'Alsace est peu utilisé. C'est dommage, parce qu'il possède des ressources intéressantes.

J'aime le servir avec des asperges, dont il parvient à vaincre l'amertume, des asperges blanches de préférence, relevées d'une sauce vinaigrette toute simple à base d'huile d'olive et de citron ou, mieux encore, une sauce de tradition familiale, sorte de mayonnaise détendue à l'eau de cuisson. Cette association un peu végétale, combinant le côté herbacé de l'asperge et le muscaté du vin, est toujours très réussie.

Avec ses arômes singuliers et son fruit intense, le muscat d'Alsace est un vin exubérant. Consommé jeune – car l'âge lui fait perdre son goût si typique et si particulier –, il rend de grands services aux cuisines exotiques épicées et relevées. Je trouve même qu'il remplace très avantageusement les vins rosés que l'on sert malheureusement trop souvent sur les crevettes au gingembre, le curry de madras ou le riz à l'indienne. Certains restaurants comme « Tan-Dinh » ou « L'Éléphant bleu » à Paris l'ont bien compris et ont inscrit entre autres à leur carte les muscats d'Alsace. D'autres feraient bien de suivre leur exemple pour mieux valoriser leurs cuisines.

Cet ami des épices, cet allié des cuisines fortes, peut redevenir plus sage et se contenter de rehausser les saveurs de truites ou d'ombles cuits tout simplement à la vapeur. Son goût frais respecte bien la chair tendre et délicate de ces poissons de rivière.

LES VINS PROCHES DU MUSCAT D'ALSACE :
Muscat d'Autriche
Muscat du Frioul (Italie)

POUR METTRE EN VALEUR UN MUSCAT D'ALSACE :
Asperges blanches
Crevettes au gingembre
Plats au curry
Truite ou omble chevalier
à la vapeur

À l'apéritif, le muscat d'Alsace se laisse boire avec plaisir, ne fatigue pas le palais et parle tout seul... Le déguster de cette façon est même une excellente entrée en matière avant de le servir à table.

Muscat

de Beaumes-de-Venise

Vallée du Rhône méridionale

LES VINS PROCHES DU MUSCAT DE BEAUMES-DE-VENISE :
Muscat
de Saint-Jean-de-Minervois
Muscat de Frontignan
Muscat de Mireval
Muscat de Rivesaltes
Muscat de Lunel
Muscat du cap corse
Muscat corse
Muscat des îles Lipari (Italie)
Muscat de Samos (Grèce)
Muscat de Setubal (Portugal)

POUR METTRE EN VALEUR UN MUSCAT DE BEAUMES-DE-VENISE :
Melon
Pastilla au pigeon
Canette au miel
Tajine aux citrons confits
Gratin de pommes
au sirop d'érable

Le muscat de Beaumes-de-Venise est agréable avec un melon très mûr, frais, à la texture un peu craquante, ainsi qu'avec les desserts à base de fruits exotiques aux arômes puissants.

On ne le dira jamais assez : le muscat de Beaumes-de-Venise est bien un vin à part entière. Ses notes de rose et de sureau, son goût légèrement muscaté, ses touches miellées et poivrées en font un vin flatteur. Je l'aime beaucoup en apéritif, prélude superbe à un repas.

Le muscat de Beaumes-de-Venise est agréable avec un melon très mûr, frais, à la texture un peu craquante. C'est aussi un très savoureux complice des desserts à base de fruits exotiques, des tartes aux mirabelles ou aux prunes, ou encore d'un gratin de pommes au sirop d'érable. Ce muscat à la jolie robe dorée et gras en bouche aime les structures un peu craquantes, croustillantes, qui vont lui donner le nerf dont il manque souvent.

Ce vin offre des ressources insoupçonnées à table, qui ne sont guère utilisées tant il est riche et capiteux et qui relèvent de l'exercice de style. Ainsi, il n'a pas son pareil pour faire chanter une pastilla au pigeon, ou des plats aux saveurs aussi variées qu'un tajine aux citrons confits, une canette au miel et aux pommes ou un soufflé au bleu. Son goût puissant de muscat, ses saveurs riches et veloutées s'unissent à la puissance des fragrances de ces plats étonnants.

Accompagné de scones, ces petits pains ronds briochés anglais, le muscat de Beaumes-de-Venise, doux et moelleux à souhait, est un agréable vin de « quatre heures » pour grandes personnes...

Traditionnellement, ce muscat est meilleur jeune. Seuls les muscats des régions les plus chaudes, comme ceux de Setubal au Portugal, méritent de vieillir. Ils perdent alors leur caractère « muscaté » pour s'approcher du goût des jérès les plus doux. Avec leur bouquet légèrement « rancio », ils créent alors des harmonies gourmandes avec le chocolat.

Pauillac

Bordelais

Il est bon de laisser vieillir les vins de Pauillac, cette grande appellation de la rive gauche de la Gironde. Jeune, le pauillac a peu de chances d'être en harmonie avec une cuisine équilibrée. Il dominerait trop par sa personnalité, son bouquet intense, naturellement boisé, aux arômes de cassis, de mûres et de myrtilles associés à des notes de tabac blond. Il faut attendre une dizaine d'années pour que ses fragrances de fruits se soient fondues dans un bouquet plus complexe où vont s'épanouir des notes de cuir, de cèdre, parfois même de feuilles d'eucalyptus. C'est à ce moment-là que le pauillac atteint un équilibre qui fait honneur à la grande cuisine.

Sans tomber dans le cliché, le pauillac est le vin de l'agneau, de préférence la selle. Cette partie très fine exalte encore davantage le vin, surtout si on la raffine en l'enrobant d'une mince couche de chapelure qui forme une croûte bien dorée. En accompagnement, on préférera les pommes boulangères aux haricots verts, qui durcissent le vin.

Je l'apprécie aussi avec des ris de veau légèrement crémés, un mets d'une grande délicatesse. L'ensemble est merveilleusement équilibré, les textures du plat et du vin sont soyeuses, « smooth ».

Comme ses voisins les saint-juliens, les saint-estèphes et les margaux, le pauillac accepte bien la truffe. On y décèle même parfois des similitudes de parfum. Pourtant, je dois avouer que les meilleurs accords entre un vin et une truffe se font plutôt avec les grands crus de la rive droite, les pomerols et les saint-émilions.

Je garde en mémoire le souvenir d'un saint-julien, en l'occurrence un Château Léoville-Las Cases 1982, servi avec un jarret de veau comme seul Alain Ducasse sait le faire, c'est-à-dire cuit très lentement, de façon à donner à la viande un fondant et un moelleux incomparables. La chair tendre du jarret de veau et le côté charnu, voire charnel du vin, for-

LES VINS PROCHES
DU PAUILLAC :
Grands crus du Haut-Médoc
- Saint-estèphe
- Saint-julien
- Margaux
- Moulis
- Listrac
Cabernets sauvignons
américains, australiens,
chiliens et italiens

POUR METTRE EN VALEUR
UN PAUILLAC :
Côte de veau et
gratin de macaroni
Selle d'agneau
Bécasse
Fromages de Hollande
Saint-nectaire

Un saint-julien sur une côte de veau épaisse, comme celle présentée dans cette magnifique voiture à découpe, donne des accords fondus, goûteux et sensuels.

maient une osmose mémorable. Un saint-julien évolué sur une côte de veau un peu épaisse comme une côte de bœuf cuite au four, et servie avec un gratin de macaroni, réalise le même type d'accord fondu, goûteux et sensuel.

Par ailleurs, le pauillac se révèle un allié intéressant des plats mijotés, qu'il raffermit et restructure par sa vigueur et sa matière. Un navarin d'agneau aux chairs totalement déstructurées par la cuisson sera ainsi réveillé par un pauillac.

Tout comme son voisin le médoc, ce vin généreux et fin préfère le gibier à plume au gibier à poil. Mais un Bordelais trouvera le même plaisir à accompagner une bécasse d'un grand bordeaux vieilli, qu'un Bourguignon d'un richebourg, ou qu'un Méditerranéen d'un hermitage rouge… Chacun aura choisi sa plus belle bouteille pour honorer ce gibier fin et délicat, personne n'aura vraiment tort ! En matière d'accords il faut faire preuve de la plus grande tolérance.

Au bout d'une dizaine d'années de garde, le pauillac – ou le saint-julien – acquiert un bouquet complexe où vont s'épanouir des notes de cuir, de cèdre, parfois même de feuilles d'eucalyptus.

Comme tous les vins rouges du Bordelais, le pauillac affectionne les fromages de montagne et les vieux hollandes – édam, mimolette ou gouda. Mais l'accord le plus heureux, le plus complémentaire, se produit avec un saint-nectaire. Ni le vin ni le fromage ne dominent et les goûts s'entremêlent, se fondent en un nouveau goût, indéfinissable mais ô combien savoureux.

Ce qui fait la grandeur de ce vin, comme de tous les grands crus de Bordeaux, c'est son équilibre dans l'harmonie, à l'inverse des bourgognes ou des côtes-du-rhône, plus flatteurs et plus violents. C'est pourquoi les pauillacs requièrent une grande attention, faute de quoi on court le risque de ne pas les comprendre et de passer à côté de leur splendide complexité.

Pessac-Léognan blanc

Bordelais

Avec un Château de Fieuzal 1985, un grand vin blanc de Pessac-Léognan, j'ai le souvenir d'un accord merveilleux mais très sophistiqué avec un plat d'étrilles. Parce que ce domaine prestigieux du Bordelais ne supporte pas d'être bu les doigts sales – il lui faut du raffinement –, ces petits crustacés avaient été patiemment décortiqués et cuisinés à l'avance. L'émotion était liée à la rencontre de deux saveurs délicates qui se complétaient harmonieusement, l'étrille au goût noble et racé – elle est pour moi le crustacé le plus fin – et le pessac-léognan évolué et mûr.

Le pessac-léognan blanc est un vin d'initiés, rare et souvent cher. En effet, les vignerons produisent surtout du rouge, en raison du terroir et de la mode. Mais il n'en a pas toujours été ainsi. Il y a quelque quarante ans, à Bordeaux, on produisait plus de blanc que de rouge et, qui plus est, un vin qui n'était pas toujours de grande qualité. Heureusement, sous l'influence de l'école bordelaise d'œnologie, la production de blanc a fait de grands progrès et les vins sont maintenant nets, sans mauvais ni faux goût.

En 1987, l'appellation Graves a été scindée en deux, distinguant les graves au sud, des pessacs-léognans au nord. Ces derniers, proches de Bordeaux, sont les vins les plus nobles, avec de prestigieux crus classés tels que Château Haut-Brion, Domaine de Chevalier, Château de Fieuzal, Château Laville-Haut-Brion, Château Smith-Haut-Lafitte… Mais le consommateur s'y perd encore.

Le pessac-léognan résulte de l'association complexe de deux cépages, le sauvignon et le sémillon. Souvent élevé en fûts neufs, il se distingue par son caractère boisé associé à des arômes vanillés évoquant les fleurs blanches, les fruits, le coing notamment. Ce vin blanc sec, complet et sophistiqué, autorise des accords poussés et de belles harmonies.

Un pessac-léognan souligne par exemple la délicatesse

LES VINS PROCHES DU PESSAC-LÉOGNAN BLANC :
Certains graves blancs
Certains entre-deux-mers blancs

POUR METTRE EN VALEUR UN PESSAC-LÉOGNAN BLANC :
Étrilles bretonnes
dans leur coquille
Huîtres chaudes
Langouste
Fromages du pays basque

Association complexe de deux cépages, le sauvignon et le sémillon, les pessacs-léognans sont représentés par de prestigieux crus classés.

d'huîtres chaudes à la crème accompagnées de concombres. L'huître accommodée de cette façon gagne en onctuosité et en moelleux, ses puissances iodées sont accentuées et le concombre joue un rôle de médiateur, tempérant l'ensemble. Dans ce cas précis, l'arôme boisé du vin encore jeune n'est pas un défaut – alors qu'il ressortirait trop avec des huîtres crues –, car la saveur de ce fruit de mer ainsi cuisiné est suffisamment marquée pour supporter un vin fin mais de forte personnalité.

En vieillissant, le vin « mange son bois ». Ses fragrances vanillées s'estompent pour laisser la place à des arômes de « miel sec » et de champignons. Comme avec les étrilles, le pessac-léognan est alors très élégant sur un homard ou une langouste. Il se révèle également un merveilleux partenaire des fromages basques tels que l'abbaye-de-béloc ou l'ossau-iraty, secs mais néanmoins assez gras, et un peu rances. Il y a là un accord de sève et de corpulence, car le moelleux du vin s'harmonise avec celui du fromage de brebis.

Un accord merveilleux, mais très sophistiqué avec des étrilles, provoque la rencontre de deux délicatesses : l'étrille, au goût noble et racé, et le pessac-léognan évolué et mûr.

Le pessac-léognan blanc se marie aussi avec un bouillon de pot-au-feu, une soupe aux choux ou une garbure comme on en mange dans le Sud-Ouest. Ces associations osées fonctionnent bien. L'accord est curieux, liquide sur liquide, mais d'une subtile sensualité, gras sur gras.

Dans le Bordelais, on a l'habitude de servir le pessac-léognan jeune avec du foie gras chaud. Je n'aime pas beaucoup cette tradition. Il faut se méfier des vins trop jeunes et boisés sur le foie gras rôti ou poêlé, qui a besoin d'un compagnon tout en onctuosité et en souplesse, ce que n'est pas un pessac-léognan jeune. En revanche, un peu vieilli, ce vin devient approprié et accompagne harmonieusement le foie gras, surtout en terrine. La coutume veut que l'on privilégie un vin blanc liquoreux en cette circonstance, mais c'est avec un pessac-léognan que cette entrée gagnera en sagesse et le repas en équilibre.

Ce grand bordeaux a de toute façon un tel potentiel qu'il ne faut pas hésiter à s'adonner au plaisir d'essayer avec lui des associations nouvelles…

PINOT GRIS OU TOKAY D'ALSACE

Alsace

Le pinot gris ou tokay d'Alsace est peut-être le moins alsacien des grands vins de cette région. Est-ce en raison de son nom si peu alémanique ou de son nez fumé ? Bien bouqueté – mais moins que les rieslings, les muscats et les gewurztraminers –, ce vin constitue un bon point de départ pour aborder les vins alsaciens. On l'appréciera d'autant mieux qu'on lui épargnera le caricatural verre à pied vert, trop petit, trop étroit, trop limité. On lui préférera celui créé par Émile Jung, du restaurant « Le Crocodile » à Strasbourg, qui reprend la forme traditionnelle mais est suffisamment fin et galbé pour laisser le vin s'exprimer. Ce verre est un parfait complice du tokay d'Alsace, participant au sentiment d'évasion qu'il procure.

Plus séveux et plus gras que les autres cépages alsaciens – même lorsqu'il est vinifié en sec –, le pinot gris, mis en bouteille au printemps, s'accommode de tous les petits légumes nouveaux, notamment les carottes et les navets, et fait honneur aux asperges blanches, aux salades de soja un peu croquantes ou aux rouleaux de printemps. Il réussit un bel équilibre avec les entrées légèrement fumées de type quiche au lard et les poissons fumés un peu gras comme les anguilles ou le saumon fumé aux lentilles.

Les années ensoleillées, particulièrement dans les grands crus, donnent un vin plus moelleux qui ne peut dissimuler sous son aspect sec des traces de sucre résiduel. Sa palette d'accords s'ouvre alors, et l'on peut s'amuser avec lui sans prendre de grands risques. Il se prête aux mariages de contraste, supportant bien les mélanges sucrés salés, les plats en sauce aigre-douce et la cuisine chinoise en général. Un jambon qu'on aura laqué comme un canard, ou une pintade épicée au gingembre sont de bonnes idées pour le mettre en valeur.

LES VINS PROCHES DU PINOT GRIS - TOKAY D'ALSACE :
À défaut de pinot gris, on trouvera une équivalence de cépage avec un nuits-saint-georges blanc (à base de pinot beurot)

POUR METTRE EN VALEUR UN PINOT GRIS - TOKAY D'ALSACE :
Salade de soja
Asperges blanches
Foie gras d'oie en brioche
Truffes chaudes
Cuisine chinoise
Fromages de chèvre

Le pinot gris s'appréciera d'autant mieux qu'on lui épargnera le verre traditionnel à pied vert, petit et étroit, trop limité. Celui d'Émile Jung, suffisamment fin et galbé, permet au vin d'exprimer tous ses arômes.

Le tokay d'Alsace peut aussi être servi avec des poissons nobles – lotte, turbot ou sole –, ou avec des volailles enrichies de sauces crémées et épicées. Élégant et raffiné, il escorte galamment les truffes, de préférence chaudes, ou un foie gras d'oie en brioche, et il remplace avantageusement certains vins rouges sur les volailles à chair tendre.

Un pinot gris moelleux peut aussi faire écho à des fromages de chèvre assez gras, cendrés ou non, comme un sainte-maure ou une pyramide-de-valençay, voire à des chèvres demi-frais.

Les carottes et les navets, les asperges blanches, les salades de soja un peu croquantes, les rouleaux de printemps, les entrées légèrement fumées, les poissons fumés un peu gras, réussissent un bel équilibre avec les arômes du pinot gris.

Porto

Portugal

Des portos, les Français connaissent surtout le « tawny », élevé en fût, le plus courant et le moins bon. Ils le servent à l'apéritif, le laissant traîner des jours voire des mois au fond de leur bar. Mais ils ignorent le « vintage », vieilli en bouteille et si proche d'un grand vin. À leur décharge, disons que les Portugais en produisent très peu et qu'ils le réservent surtout au marché britannique.

Le porto n'est donc pas seulement cet éternel apéritif. Il a d'autres cordes à son arc et se permet des accords intéressants à table, parfois curieux, mais jamais décevants. Pour honorer ce grand vin du Portugal, je n'hésite pas à bousculer nos chères vieilles habitudes et à le servir, comme le font les Anglais, en fin de repas sur un fromage, après le dessert. Il fait merveille avec toutes les pâtes persillées, notamment le bleu des Causses et le stilton. L'accord est parfait et, comme avec le sauternes,

LES VINS PROCHES
DU PORTO :
Banyuls
Rasteau
Maury
Rivesaltes

POUR METTRE EN VALEUR
UN PORTO :
**Foie gras chaud
aux lentilles**
Pigeon rôti
Stilton
Cromesquis au chocolat

Le porto n'est pas seulement cet éternel vin d'apéritif que seul connaissent la plupart des Français ; le « vintage », vieilli en bouteille, est un grand vin aux accords subtils et originaux.

violent et puissant. Je trouve même qu'il pousse encore plus loin les saveurs que le banyuls auquel on le compare souvent. C'est un très grand moment qui nous sort de la routine.

Plus classiquement, le porto vintage se marie volontiers avec le foie gras chaud, qu'il soit accompagné de lentilles – une recette de Joël Robuchon – ou de haricots noirs pimentés – une recette de Philippe Braun que je recommande également sur le madiran. La concordance de texture et de chair crée un accord onctueux, riche et séveux. J'aime moins ce vin sur une terrine de foie gras, car je le trouve trop « brûlant » pour la respecter. Comme le banyuls, le porto fait honneur à un pigeon ou à un canard aux épices, et il se montre tout à fait à la hauteur d'un gibier, comme un lièvre accompagné d'une sauce aux fèves de cacao. Les goûts se fondent, l'harmonie est heureuse.

Je l'aime beaucoup avec le chocolat noir un peu amer, la douceur du porto apaisant cette amertume. À « La Table d'Anvers », à Paris, Philippe Conticini sert des cromesquis, sorte de croquettes fourrées de chocolat encore liquide et chaud. Avec un vintage Taylor's, le mariage est superbe. Les impressions sont multiples, amères puis sucrées, dures et craquantes puis liquides, chaudes et onctueuses. Le porto devient étonnant et sublime, charnu et sensuel.

Des essais tendent à développer les accords entre cigares et vins. Pour l'instant, mes expériences ne sont guère fructueuses, car je trouve que le cigare domine toujours le vin, laminant sa finesse et son équilibre. En revanche, je ne suis pas opposé à des essais de mariages entre un cigare et un vin doux naturel. Je reste convaincu que le cigare est mieux venu avec les eaux-de-vie, mais il peut aussi être allumé à la fin d'un repas sur un porto, un banyuls, un rasteau et même un muscat. Ces vins sont suffisamment puissants et riches pour qu'il n'y ait aucun perdant.

Le porto vintage est un grand vin. Une fois débouché, comme tous les grands vins, il s'oxydera très vite. Il doit donc être bu rapidement. Même s'il enivre vite – c'est un vin muté –, il faut savoir en profiter : le porto vintage est un vin magique qui fait voyager…

Le chocolat noir un peu amer se marie parfaitement au porto « vintage », la douceur du vin apaisant l'amertume du chocolat.

Pouilly fumé et
Sancerre blanc

Vallée de la Loire ~ Centre

Longtemps le pouilly fumé et le sancerre blanc sont demeurés des vins de comptoir. Pour moi, ce sont, comme le muscadet, des vins du matin. J'aime les mettre dans le ruisseau au moment de Pâques, pour l'ouverture de la pêche. Je les emporte aussi lorsque je pars à la chasse ou aux champignons.

La tradition associe le pouilly fumé et le sancerre blanc au crottin de Chavignol. Le mariage est de raison, l'accord est assurément bon, pour peu que le fromage de chèvre soit très sec. Ces vins tranchants, incisifs et nerveux « humidifient » le crottin et soulignent la délicatesse de son goût prononcé. Mais si le chèvre est jeune et gras, les textures s'opposent et l'harmonie en pâtit.

**LES VINS PROCHES
DU POUILLY FUMÉ ET
DU SANCERRE BLANC :**
Quincy
Reuilly blanc
Menetou-salon blanc
**Certains vins blancs
à base de sauvignon**

**POUR METTRE EN VALEUR
UN POUILLY FUMÉ OU
UN SANCERRE BLANC :**
Rillettes ou rillons
**Salade d'épinards
au haddock**
Gambas grillées
Chèvres secs

Le pouilly fumé comme le sancerre blanc sont des vins à boire jeunes, des vins du matin. J'aime les emporter pour un casse-croûte, le jour de l'ouverture de la pêche, et les mettre à rafraîchir dans le ruisseau.

Ces vins au bouquet terpénique et légèrement fumé, lié à des arômes végétaux évoquant parfois la fleur de genêt, ont un caractère vif et pointu qui permet des alliances faciles, avec des rillettes ou des rillons par exemple. Le vin rétablit l'équilibre, aiguise le plat et le « dégraisse ». Cette association de saveurs et de goûts se retrouve avec tous les poissons fumés tels que l'anguille, le saumon, le hareng ou le haddock – je pense en particulier à une salade d'épinards avec du haddock.

Le pouilly fumé et le sancerre blanc, surtout lorsqu'ils sont jeunes, peuvent se révéler avantageusement enrobant. Ils apaisent alors le goût amer des asperges blanches et adoucissent le caractère trop iodé de certaines huîtres sauvages.

Les années chaudes et ensoleillées donnent des vins d'expressions différentes. Le caractère herbacé, un peu végétal, du sauvignon – leur cépage – se transforme. Les vins prennent du gras en restant vifs, ils deviennent plus ronds sans pour autant mollir.

Le brochet de la Loire, l'ombre chevalier, le sandre ou la truite leur donnent alors la réplique avec talent. Les accords classiques peuvent être délaissés au profit de crustacés grillés comme les langoustines, les homards ou les gambas. Le pouilly fumé et le sancerre blanc affectionnent en effet tous les mets grillés en raison de leur forte présence aromatique. Il n'est pas nécessaire de rajouter de la sauce car ce sont des vins de matière brute.

Ces vins blancs de la Loire créent de beaux accords avec le caviar. J'ai fait l'expérience étonnante d'un Sancerre 1989 vendangé un peu tardivement sur un caviar Béluga, le plus recherché, le plus cher aussi, avec ses grains assez gros et sa belle couleur grise soutenue. Pour étrange qu'ait été cette rencontre, elle fut heureuse, alors que très souvent l'alliance du caviar et du vin provoquent une mauvaise réaction. Cela prouve bien, s'il le fallait, que le pouilly fumé et le sancerre blanc n'ont pas une expression si simple, ni un registre si limité !…

*Pouilly fumé et sancerre blanc
sont des vins tranchants,
incisifs et nerveux,
au bouquet légèrement fumé.
Ils ont un caractère
vif et pointu qui permet
des alliances faciles.*

Riesling

Alsace

C'est à force de déguster les vins d'Alsace que j'ai compris la ferveur dont le riesling jouit auprès des plus grands amateurs de vins. Ce cépage rhénan réalise en effet un rare équilibre entre vivacité et richesse d'arômes, et il peut atteindre des sommets de complexité. En ce qui me concerne, le cheminement a été assez long. Dans certains cas, son curieux « goût de pétrole » déroute. Le riesling est, comme le vin jaune ou le jérès, un vin difficile. Pour l'apprécier, il faut être né dans la vallée du Rhin ou être pris par la main, comme ce fut mon cas.

Le riesling est un vin de plaisir « raffiné », un vin d'analyse, presque un vin d'intellectuel. Il sait procurer de vives satisfactions et susciter de grandes passions. C'est un vin qui raconte une histoire et qui fait voyager. Quand on boit un riesling, l'imaginaire travaille, les clichés ressortent – l'Alsace, les cigognes, les dessins de Hansi, Erckmann-Chatrian, les maisons à colombages… Je me demande pourquoi on ne l'utilise pas plus souvent à table, car avec sa forte personnalité, ce vin blanc inimitable est l'un de ceux qui procurent le plus de joies et qui ont le plus de ressources.

Jeune, le riesling est sec et variétal, avec des arômes qui expriment les fleurs, les agrumes – le citron – et les fruits blancs, notamment la pêche. Son caractère un peu perlant en fait alors le complice des entrées froides comme le lard, les charcuteries, les poitrines fumées et le fromage de tête – ou, comme on l'appelle en Alsace, le presskopf. Son bouquet vif et pointu est souligné, respecté et apprécié en cette compagnie.

On se gardera de tomber dans le piège de la choucroute, car le riesling ne lui convient pas vraiment. Pour ce grand plat régional, on préférera un sylvaner, un pinot blanc ou un edelzwicker. En revanche, il fait merveille avec une choucroute moins connue mais encore plus typique, une choucroute de navets, la fameuse sürirüawa. Il est également excellent avec un saumon ou un colin froids, et il fraternise avec tous les pois-

LES VINS PROCHES
DU RIESLING JEUNE :
Les rieslings d'Allemagne,
d'Autriche, d'Italie
et d'Afrique du Sud

POUR METTRE EN VALEUR
UN RIESLING :
Caviar
Choucroute de navets
(sürirüawa)
Sandre
Balik servi tiède
avec du raifort

Le riesling est un vin difficile qui réalise un rare équilibre entre vivacité et richesse d'arômes ; avec sa forte personnalité, ce vin blanc est l'un de ceux qui ont le plus de ressources.

sons d'eau douce tels que les truites – aux amandes ou au bleu –, les ombles chevaliers ou les sandres, dont la chair délicate et fine est mise en relief par sa propre finesse.

En vieillissant, le riesling gagne en onctuosité. Il se marie alors, ce qui n'est pas sa moindre originalité, avec les légumes. C'est même un des rares vins qui peuvent se prévaloir de cette faculté, à tel point que l'on pourrait presque dire que le riesling est un vin de légumes ! Je ne saurais expliquer pourquoi – peut-être simplement par effet de contraste –, mais il préfère ceux qui ont du goût comme les poireaux, les asperges, les oignons, le raifort et le céleri. Il est donc un bon compagnon de table pour une tarte à l'oignon, un canard aux navets ou un balik servi tiède et accompagné d'une sauce au raifort. Sa capacité à tenir tête au raifort démontre bien sa forte personnalité.

Avec les grands crus, les accords peuvent se faire plus osés. Le riesling est parfait sur les sauces maltaises, faites d'agrumes et légèrement crémées, servies habituellement avec des asperges ou des volailles. Il se comporte également avec talent sur les viandes fumées, dont les chairs resserrées appellent des vins tout en rondeur. Moelleux, le grand cru répond à cette exigence. Il réalise aussi un accord très fin, une harmonie somptueuse et délicate avec des cuisses de grenouilles comme celles de « L'Auberge de l'Ill » à Illhaeusern. Le riesling un peu vieux, un peu moelleux mais toujours gras et vif, sublime le plat tandis que les cuisses de grenouille font bien ressortir sa finesse.

Le riesling est aussi, avec le jérès et le sancerre blanc, un des rares vins blancs qui fasse honneur au caviar, ce mets de luxe simple et magique. L'accord du caviar et du vin n'est pas évident car en présence du vin, les œufs d'esturgeon provoquent souvent une réaction poissonneuse et métallique.

Avec son goût minéral, il peut être pris pour un grand excentrique, un dandy en avance sur son temps, un précurseur de goût. Pour moi, le riesling est un très grand vin. Il apporte des saveurs inconnues et dépasse tous les autres vins blancs dans la perfection et l'originalité. Il est le compagnon idéal pour la cuisine inventive des chefs qui recherchent des accords nouveaux. Et si c'était le grand vin blanc du XXIᵉ siècle ?

Le riesling est un des rares vins blancs qui s'accorde avec le caviar.

Saint-Émilion
et Pomerol

Bordelais

C'était en février, Joël Robuchon nous avait concocté un pot-au-feu à sa manière, avec dix viandes différentes – foie gras, plat de côte, gigot, canard, poitrine de porc, gîte, jarret de veau, queue de bœuf, saucisson, poularde truffée et os à moelle. Nous aurions pu choisir un vin différent pour accompagner chaque morceau de viande, mais nous avions privilégié le vin unique, un saint-émilion, Château Cadet-Bon. Un « compromis » heureux : la rondeur du vin lui a permis d'accompagner avec dignité toutes ces différentes saveurs et textures. Le pari était osé, mais le vin s'en est sorti avec les honneurs.

Les saint-émilions et les pomerols sont des vins essentiellement ronds, caractère qui est dû à la présence souvent majoritaire du cépage merlot. Leurs accords sont donc tous orientés sur la rondeur.

J'aime bien ces vins, quand ils sont jeunes, sur le cassoulet – le cahors, le buzet et le madiran n'en ont pas l'exclusivité ! Le bouquet boisé du vin enrobe très bien les haricots sans alourdir le plat ; il aurait même tendance à l'alléger. Je trouve aussi que les saint-émilions et les pomerols font merveille avec des gésiers confits ou des cous d'oie, car ces mets ont besoin de rondeur pour donner le meilleur d'eux-mêmes. Cette même rondeur est un atout majeur pour exalter et raffiner un confit de canard, ou encore des abats – rognons ou foie de veau – grillés ou poêlés, servis assez bruts, sans sauce, avec juste un déglaçage prudent au vinaigre.

Étrangement, ces grands vins rouges corsés et très fins peuvent faire bon ménage avec le potage, même si l'usage commande de ne pas servir de vin sur une soupe. Mais il s'agira en l'occurrence de potages enrichis de viande, comme une soupe de légumes agrémentée d'un morceau de lard. Le vin n'est guère mis en valeur, mais le chaud-froid est une agréable sensation.

LES VINS PROCHES DES SAINT-ÉMILIONS ET DES POMEROLS :
Lalande-de-pomerol
Fronsac
Canon-fronsac
Côtes-de-castillon
Bordeaux côtes-de-francs
Côtes-de-bourg
Premières côtes-de-blaye
Vins à dominante merlot
français mais aussi chiliens,
australiens et américains

POUR METTRE EN VALEUR UN SAINT-ÉMILION OU UN POMEROL :
Truffe sous la cendre
Cassoulet
Pot-au-feu
Côte de bœuf grillée
Confit de canard
Tommes d'Auvergne

Dans leur jeunesse toujours, les saint-émilions et les pomerols sont certainement les vins les plus adaptés aux viandes
rouges cuites au barbecue. Le caractère grillé, parfois un peu
calciné de la côte de bœuf ou de l'entrecôte, se combine avec
le goût légèrement viandé du vin. La spécialité régionale, l'entrecôte grillée aux sarments de vigne afin de donner une saveur
particulière à la viande, est un accord plus pointu encore.

En vieillissant, leur bouquet évolue vers des notes de champignons, de sous-bois et de gibier. Ils peuvent alors s'aventurer
vers des alliances plus osées. Ils mettent en relief un bœuf de
Kobé, cuit comme une entrecôte et non en lamelles à la japonaise. Cette viande rare et coûteuse, si persillée, fondante et
moelleuse, a besoin d'un vin au moins aussi équilibré et rond
qu'un pomerol pour lui résister. Ces vins valorisent aussi le
boudin noir à condition de l'accompagner de pommes rissolé-
lées plutôt que d'une purée qui aura tendance à les affaisser. Ils
s'expriment également avec brio en compagnie de sauces liées
au sang qui respectent leur rondeur et leurs arômes. De ce fait,
ils font honneur aux civets de lièvre et aux salmis, comme les
salmis de palombes.

Ce sont sûrement les vins rouges du Bordelais les plus adaptés aux champignons en général, et aux cèpes grillés ou poêlés
en particulier, accompagnant des viandes d'agneau et de bœuf.
Ils s'harmonisent aussi avec la truffe, surtout si elle est servie
seule, assez brute et chaude, car elle a alors besoin d'être enve-
loppée et ces vins au tannin soyeux adoucissent sa texture cro-
quante. La fameuse truffe sous la cendre cuite dans son
feuilletage, avec sa sauce réduite, se fond ainsi dans le vin sans
le dominer.

De manière générale, les saint-émilions et les pomerols n'aiment guère la compagnie des fromages, mais comme tous les
autres vins rouges de la région de Bordeaux, ils s'accordent
assez bien avec les vieux goudas et les tommes du Massif cen-
tral – le cantal-salers ou le laguiole – un peu vieillies, un peu
rances.

Les grands pomerols méritent des plats exceptionnels. Je
trouve qu'ils créent, plus encore que les médocs, un accord
subtil, rare et profond avec les ortolans, que l'on déguste en

*Saint-émilions et pomerols
font merveille avec un confit
de canard qui a besoin
de rondeur pour exalter
et raffiner ses parfums.*

*La présence, souvent
majoritaire, du cépage merlot
octroie de la rondeur
aux pomerols comme aux
saint-émilions.*

une seule bouchée, la tête cachée sous une serviette. Ces vins séveux se mêlent à la graisse très fine de ces petits oiseaux, transcendant leur chair. Mais je me surprends à rêver… c'est là un accord aujourd'hui interdit !

L'harmonie est tout aussi sensuelle avec des grives ou, à défaut, des merles… Leur fin goût de gibier forme avec le bouquet vieilli et rond du vin un ensemble délectable.

Sancerre Rouge

Vallée de la Loire ~ Centre

**LES VINS PROCHES
DU SANCERRE ROUGE :**
Pinots noirs de Touraine
Menetou-salon rouge
Saint-pourçain rouge
Reuilly rouge
Vins rouges champenois
(bouzy, vertus, aÿ)
Pinots noirs d'Alsace
(les plus simples)
Vins rouges de l'Yonne
(irancy, coulanges, épineuil)

**POUR METTRE EN VALEUR
UN SANCERRE ROUGE :**
Terrine de joue de bœuf
en gelée
Pâté creusois
Côte de bœuf grillée
au barbecue
Potée aux choux
Hachis Parmentier
Murol

*Le sancerre rouge est
un vin parfait pour les
déjeuners d'été au jardin.
Servi frais, à température
de cave, il fait chanter
les viandes grillées,
les plats de charcuteries,
les jambons de Parme
et les terrines.*

Le sancerre rouge est un convive facile à table. Ce vin coulant est l'interlocuteur idéal des plats un peu roboratifs qui donnent soif tels que le hachis Parmentier, le pâté de pommes de terre comme on en mange dans la Creuse, ou des recettes de montagne rustiques à base de lard épais. Il a un faible pour les potées, notamment la potée aux choux, car il assouplit ces viandes raffermies par la salaison.

Il aime toutes les volailles rôties ou simplement cuites au four, et il a une prédilection pour le foie de veau poêlé, à l'arôme puissant. Il est aussi le vin de la blanquette de veau, bien qu'elle soit habituellement accompagnée d'un vin blanc. Elle forme avec le sancerre rouge une belle association, surtout si on a un peu forcé sur le vinaigre pour la sauce.

Ce vin rouge de la Loire accepte aussi les poissons, de préférence cuisinés au vin rouge, comme un sandre ou un turbot à la moelle. Ces mets sont bien valorisés par les arômes de cerise et de framboise et les notes un peu végétales de ce vin tendre, souvent pâle et presque transparent – le pinot noir a du mal à mûrir ses tannins. En revanche, les poissons marinés sont à déconseiller car ils provoquent une réaction trop iodée.

L'été, le sancerre rouge devient un sympathique vin d'extérieur. Servi frais, à température de cave, il fait chanter des viandes grillées au barbecue, un plat de charcuteries, un jambon de Parme mais aussi et surtout une terrine de joue de bœuf, dont la gelée contraste bien avec le moelleux de la viande.

Manquant de percutant, il refuse les fromages trop puissants mais peut faire bonne figure avec une tête-de-moine, un murol, un tamié, voire un chaource un peu gras au goût délicat. Et pour clore le repas, il fait un mariage de raison avec une assiette de fruits rouges, des cerises, des tartes aux fruits, aux mûres ou aux myrtilles.

SAVENNIÈRES

Vallée de la Loire ~ Anjou

**LES VINS PROCHES
DU SAVENNIÈRES :**
Montlouis sec
Vouvray sec
Jasnières

**POUR METTRE EN VALEUR
UN SAVENNIÈRES :**
Friture de petits poissons
Andouille de Guémené
Anguille fumée
**Saumon de la Loire
au beurre blanc**
Chèvres secs

*L'andouille roulée
de Guémené, comme
les rillettes, les rillons
et beaucoup de charcuteries,
sont des complices naturels
d'un savennières légèrement
minéral et dominé par
son acidité.*

Le savennières est un vin difficile et austère. Jeune, il est peu expressif, légèrement minéral et dominé par son acidité. Mais comme le sancerre blanc, cette acidité en fait le complice des rillettes, des rillons ou encore des charcuteries comme les andouilles roulées. Avec son bouquet ni explosif, ni dominant, il fait aussi honneur aux petites fritures de poissons d'eau douce finement salées et croustillantes.

Avec le temps, le savennières évolue vers des bouquets plus complexes où dominent le coing, le tilleul et le miel, associés à des arômes terpéniques rappelant ceux de certains rieslings issus de grands crus. Il faut savoir être patient avec ce vin, car c'est lorsqu'il a pris de l'âge – il peut atteindre trente ans sans une ride – qu'il réalise les accords les plus superbes. À maturité, il devient en effet intéressant avec tous les poissons d'eau douce à la chair délicate – truite, saumon, sandre et brochet –, cuisinés simplement et sobrement à la vapeur ou au four. Le savennières réussit un grand mariage, un duo d'anthologie même, avec l'incomparable saumon de la Loire au beurre blanc. Ce vin a quelque chose de magique, il reflète la douceur de vivre, l'équilibre, l'harmonie de la vallée de la Loire, et ce n'est qu'à travers de telles associations que l'on en prend pleinement conscience.

Un savennières s'impose encore avec délicatesse et subtilité avec tous les poissons fumés et notamment l'anguille, très grasse, très ferme, au goût si caractéristique, dont il tempère le moelleux. On peut le boire sans risque sur des plats cuisinés avec une sauce au curry, et il remplace avantageusement un vin rouge sur des volailles. Comme un sancerre blanc, il forme une meilleure combinaison avec un chèvre sec qu'avec un chèvre gras, dont les textures se heurteraient aux siennes.

Peu d'amateurs savent utiliser le savennières et c'est bien dommage. Ce vin est pourtant la grande expression des vins blancs secs de la Loire issus du cépage chenin.

TAVEL

Vallée du Rhône méridionale

En matière de vins, nous sommes tous victimes de préjugés tenaces. Le rosé n'échappe pas à la règle, lui qui est souvent considéré comme un intermédiaire entre le vin blanc et le vin rouge, et non comme un vin à part entière. Pourtant, le tavel est un vin puissant et riche qui mérite d'être employé plus souvent à table. Sa corpulence lui permet d'affronter des cuisines épicées et poivrées. Avec son bouquet évoquant le fruit mûr et les agrumes – on est loin des tons acidulés et fruités des rosés du nord –, il relève le défi d'une pizza assaisonnée d'huile pimentée, de légumes à l'orientale, d'aubergines farcies, de petits farcis niçois, de poissons en sauce dont la rouille rehausse les saveurs, d'une bouillabaisse, voire encore d'un gaspacho. Servi frais, il éteint l'incendie, calme le feu de ces plats relevés. Mais son fort degré d'alcool en fait un vin traître dont il convient de se méfier, surtout l'été, lorsqu'on le consomme très frais.

Certains tavels peuvent prendre de l'âge et leur teinte devient alors plus orangée. Avec ces vins vieillis, on quittera les alliances traditionnelles pour se diriger vers la bisque de homard ou la sole cuisinée avec une sauce homardine.

Ce vin des côtes du Rhône fait aussi un mariage savoureux avec une tarte friande à la tomate confite, surtout si on utilise des tomates d'automne, les plus sucrées et les plus charnues, légèrement épicées. Seul un vin un peu corpulent, capiteux et complexe peut affronter le caractère confit des tomates.

Les fromages de chèvre frais à l'huile d'olive, vieillis en bocaux, forment avec le tavel un ensemble de saveurs très agréable en bouche. Ce vin est aussi le parfait complice d'une salade crétoise à base de feta, ou encore d'une salade de tomates et de mozzarella au basilic, la fameuse « caprese » si répandue en Italie, que j'accompagne de pain grillé frotté à l'ail.

En guise de dessert, les fruits rouges – notamment les fraises – et les salades de fruits – en particulier une salade de pêches – font la fête à un tavel bien frais.

LES VINS PROCHES DU TAVEL
Lirac rosé
Palette rosé
Bandol rosé
Certains rosés
des côtes de Provence
Certains rosés corses
Certains rosés du Bordelais

**POUR METTRE EN VALEUR
UN TAVEL**
Salade de tomates et
de mozzarella au basilic
Tarte friande
à la tomate confite
Gaspacho
Poissons en sauce rouille
Chèvres frais
Salade de pêches

La tarte friande à la tomate confite que cuisine Philippe Braun se marie de façon savoureuse avec le bouquet de fruits mûrs et d'agrumes du tavel, surtout si l'on utilise des tomates d'automne, plus sucrées, plus charnues et légèrement épicées.

Volnay

Bourgogne ~ Côte de Beaune

*Le volnay est un vin vivant
et aimable à l'arôme joliment
framboisé.*

Comme beaucoup de grands crus de Bourgogne, le volnay est un vin vivant, aimable. Son arôme joliment framboisé est tellement plaisant qu'il m'est souvent arrivé d'avoir envie de le boire sur le fût, avant même qu'il ne soit mis en bouteille. Le propre de la plupart des grands millésimes est justement d'être si flatteur au fût.

Quand il est encore sur le fruit rouge et n'a pas basculé vers ses arômes tertiaires de gibier, le volnay – et avec lui tous les bourgognes comme le savigny ou le pernand-vergelesses – est le vin des plats uniques qui ont besoin d'un compagnon joyeux, spontané et frais, se livrant de suite. Il fait ainsi équipe, pêle-mêle, avec un pot-au-feu, une queue de bœuf braisée à la moutarde, un navarin d'agneau, ou un faisan – pas trop faisandé ! – aux choux. Il est aussi l'ami des pigeons, des pintades, des cabris rôtis et des cuisses de canard grillées. On peut encore le servir avec succès sur l'onglet, une viande longue un peu persillée, servie avec des pommes de terre frites. C'est tout simplement délicieux. Pour accompagner ces viandes, on évitera toujours les légumes verts – épinards, haricots verts… –, qui durcissent le vin, pour privilégier les pâtes, les pommes de terre et les féculents, qui rendent les viandes plus tendres.

En règle générale, le volnay jeune ne se marie pas bien avec les plats en sauce, il leur préfère les rôtis et les grillades. N'étant pas trop tannique, il peut aussi escorter – je ne dis pas mettre en valeur – certains poissons cuisinés avec une sauce au vin comme une lotte au vin rouge.

Les traditions gastronomiques bourguignonnes ont la vie dure et ne sont pas toutes tendres pour le vin. Il en est ainsi de la tendance qui associe souvent les vins de la côte de Beaune au jambon persillé, un plat traditionnel de la région, mais l'accord n'est pas des plus justes. Un volnay jeune et fruité est comme déshabillé par la persillade un peu violente

du jambon. De plus, les plats servis froids ont tendance à raidir le vin et à le rendre plus acide qu'il n'est en réalité. Pour accompagner le jambon persillé, il vaut mieux s'orienter vers les crus de Beaujolais.

Jeune, le volnay ne met pas non plus en valeur un autre plat typiquement régional, les œufs en meurette, des œufs pochés nappés d'une sauce à l'échalote. Ce mets est bien mieux rehaussé par un bourgogne vieilli au bouquet légèrement giboyeux. Quant aux puissants fromages régionaux comme l'époisses, ils décharnent le vin avec leur goût lactique prononcé. En revanche, le volnay fait honneur à un vieux gruyère encore bien gras, qu'il enrobe de son moelleux.

En prenant de l'âge, le volnay perd un peu de son séveux et de sa chair. Il a alors besoin de sauces qui compensent ce manque de texture en l'enrichissant de leur onctuosité. Un volnay vieux réalise ainsi des équilibres savoureux avec des plats qui lui rendent son moelleux, le reconstruisent et le « remusclent » tels que des rognons avec une sauce moutarde, une côte de bœuf sauce marchand de vin dont la moelle compense le gras perdu par le vin, ou encore un coq au vin avec une sauce riche liée avec un peu de sang.

Vieilli, devenu alors vin d'automne et d'hiver, le volnay est tout naturellement le partenaire privilégié des gibiers à poil cuisinés en civet – à l'exception du civet de lièvre, bien meilleur avec un vin de la vallée du Rhône – ou d'un lièvre à la royale.

Tous les terroirs de la côte de Beaune ont des nuances qui les distinguent. Les vignerons eux-mêmes les modifient et les accentuent au fil des ans. Mais de manière générale j'ai tendance, moi aussi certainement victime de la musique des mots, à les scinder en deux catégories. La première englobe les vins de Beaune, de Savigny, de Pernand et de Volnay, dont la légèreté et la féminité appellent les gibiers les plus fins, comme le chevreuil ou la biche. La deuxième comprend les vins plus corpulents et plus masculins, ceux de Pommard, Corton ou Santenay, qui sont mieux adaptés aux venaisons plus prononcées comme le sanglier. Cette « correspondance » est très forte, nous sommes tous sous influence. Pommard ne sonne-t-il pas « lourd », et volnay, « léger » ?...

Vosne-Romanée

Bourgogne ~ Côte de Nuits

L e vosne-romanée est un vin qui fait rêver. C'est le vin des repas exceptionnels et des grandes occasions. Un classicisme de bon aloi prévaut donc au choix de ses partenaires.

Ce grand cru de Bourgogne peut se boire jeune. Il est déjà tendre, long et racé, avec un bouquet très flatteur et très expressif – à la différence des vins de Bordeaux qui sont plutôt austères dans leurs premières années – qui évoque la cerise, la griotte, le cassis et la framboise, et des notes boisées. Le vosne-romanée « pinote », comme aimait à le dire le docteur Mugneret, une haute figure du vignoble bourguignon, médecin le matin et vigneron l'après-midi.

Pour bien mettre en valeur ses arômes, on aura soin de le laisser s'oxygéner en carafe, de lui éviter les traditionnels verres de vin bourguignons, trop grands – le vin se réchauffe et s'oxyde trop – et de le servir autour de 16°. Avec sa belle couleur rubis, il fait alors merveille avec des plats cuisinés « bruts » plutôt que braisés ou en sauce, par exemple une côte de bœuf grillée ou un canard rôti à la peau bien croustillante.

Malgré ses arômes de fruits rouges, cet élégant seigneur supporte mal les cerises, les épices, les agrumes ainsi que les herbes, qui l'agressent, et les légumes verts, dont la note végétale l'incommode. En revanche, la pomme de terre est toujours la bienvenue, et les navets, les petits oignons, les échalotes sont également de bons alliés du vosne-romanée.

Comme tous les vins de la côte de Nuits, il donne le meilleur de lui-même en vieillissant. Il offre alors des bouquets plus compotés, plus chauds, avec des arômes de fruits en confiture, des notes de sous-bois, d'humus, de violette, de champignons et un goût un peu animal, giboyeux, presque viscéral qui risque de dérouter le non-averti. Moins flatteur, moins facile, ce vin devient un peu sauvage. Son charme est différent.

LES VINS PROCHES
DU VOSNE-ROMANÉE :
*Grands crus
de la côte de Nuits :*
Chambertin
Chambertin-clos de bèze
Mazis-chambertin
Ruchottes-chambertin
Griotte-chambertin
Chapelle-chambertin
Charmes-chambertin
Latricières-chambertin
Clos de Tart
Clos Saint-Denis
Clos de la Roche
Clos des Lambrays
Bonnes-mares
Musigny rouge
Clos de Vougeot
Échézeaux
Grands Échézeaux
Romanée-conti
Romanée
Romanée-saint-vivant
La Tache
Richebourg
Premiers crus de :
Nuits-saint-georges rouge
Gevrey-chambertin
Morey-saint-denis rouge
Chambolle-musigny

POUR METTRE EN VALEUR
UN VOSNE-ROMANÉE :
Côte de bœuf grillée
Canard rôti
Perdreau rôti
Bécasse
Faisan
Gibiers à plume

Pour bien mettre en valeur les arômes d'un vosne-romanée, on évitera de le servir dans des verres à vin trop grands, dans lesquels le vin se réchauffe et s'oxyde trop vite.

Avec l'âge, ce prestigieux bourgogne atteint un potentiel d'expression important et des sommets de complexité. Il devient un vin d'automne et d'hiver. C'est alors qu'il s'exprime pleinement sur son plat de prédilection, le gibier. L'époque fait bien les choses, puisque c'est celle de l'ouverture de la chasse ! Avec le gibier, le goût souvent viscéral du vosne-romanée paraît moins dominant.

Les vins de la côte de Nuits préfèrent les gibiers à plume – faisans, perdreaux ou bécasses –, plus fins, plus raffinés, aux gibiers à poil, qui développent des goûts et des saveurs plus violents et plus fauves. Un vin vieilli, de grande année, supporte même une viande un peu faisandée. Personnellement, je penche pour un perdreau tout simplement rôti servi nature, sans sauce, avec des pommes paille. La cuisson sera courte et respectera l'aile, le morceau de choix du perdreau.

Pour un chasseur, l'accord parfait se produit avec une bécasse. Il ne doit pas hésiter à sortir ses plus grands vins pour l'honorer. Un vosne-romanée d'une dizaine d'années s'affirme magnifiquement sur le caractère giboyeux de la bécasse, qui neutralise le côté viscéral du vin vieilli. On la préférera tout simplement rôtie, sans surenchère de foie gras. On appréciera particulièrement sa cuisse que l'on peut même accompagner d'une tranche de pain rôtie tartinée avec son foie.

En règle générale, ces vins se prêtent mal aux recettes trop sophistiquées et l'on réservera les gibiers à poil et les plats en sauce à d'autres vins, notamment ceux de la côte de Beaune, un peu moins subtils peut-être, mais qui ont infiniment plus de ressources.

Au moment des fromages, quitte à bousculer la tradition, il est préférable de servir un vin blanc, qui se mariera mieux avec eux. Je revois encore ce vieux vigneron de vosne-romanée me faisant cadeau d'une bouteille de richebourg en me disant : « Pas de ça avec une Vache-qui-rit » ! Attention donc, le vosne-romanée ne s'entend pas davantage avec les fromages régionaux qu'avec les pâtes cuites.

Sélection de grains nobles

Alsace

Les vins sélections de grains nobles sont élaborés avec des raisins récoltés tard dans la saison, comme dans le Sauternais, juste avant les premières gelées, lorsqu'ils sont les plus mûrs et les plus concentrés en sucre. Ils donnent des vins aux goûts très particuliers, très sucrés et en même temps très suaves. Ces vins subtils et chers sont réservés à des moments exceptionnels, en compagnie de plats qui ne le sont pas moins.

Seuls trois cépages alsaciens ou presque autorisent ces récoltes tardives et audacieuses, et chacun d'eux donne aux vins un caractère différent. Le riesling est le plus rare, car le plus fragile et le plus lent à mûrir, mais le plus fin, celui qui présente le meilleur équilibre entre sucre et acidité. Le tokay-pinot gris est le plus rond, monte en degré plus facilement et devient parfois un peu lourd. Le gewurztraminer est le meilleur compromis, le plus flatteur et le plus savoureux. Son caractère fortement aromatique supporte très bien ce style de vin, il le sublime même.

Les accords avec ces vins lorsqu'ils sont jeunes relèvent du domaine de « l'art et l'essai ». Ils sont plutôt réservés à la dégustation pure, ou du moins entre les repas, car ils comportent des sucres résiduels très présents dont il faut se méfier à table.

On peut réussir des alliances étonnantes entre un riesling SGN et un homard à l'américaine à la sauce légèrement safranée, des langoustines aux épices ou un Saint-Pierre au gingembre. Un tokay-pinot gris fait honneur au gibier comme au foie gras chaud. Un gewurztraminer préfère les desserts, en particulier à base de cannelle et d'anis, comme une glace au pain d'épices, des poires au vin rouge piquées de clous de girofle ou un sabayon de fruits exotiques.

En vieillissant, ces vins peuvent dérouter les amateurs non-initiés. Ils perdent lentement de leur perception sucrée pour devenir plus gras et plus séveux. Leurs complices doivent alors devenir plus classiques, le sucre étant moins présent.

LES VINS PROCHES
DES SÉLECTIONS
DE GRAINS NOBLES :
Les eiswein d'Allemagne
et d'Autriche

De simples châtaignes grillées dans la cheminée donnent un accord rare et précieux avec un gewurztraminer SGN. Le goût légèrement farineux et même un peu sec des châtaignes fait ressortir la présence séveuse du vin qui, en retour, les enrobe de son moelleux.

INDEX DES VINS ET DES METS

VINS

METS

Achevé d'imprimer en septembre 2002
Imprimé en Italie

Dépôt légal : 26989 - octobre 2002
ISBN : 2.84277.356.4
34/1518/9 - 02